D1108730

Más allá del Crepúsculo

Más allá del Crepúsculo

Explorando el mundo de los vampiros

Manuela Dunn-Mascetti

Traducción de Eva Jiménez Julià

UN SELLO DE EDICIONES ROBINBOOK
información bibliográfica
Indústria, 11 (Pol. Ind. Buvisa)
08329 - Teià (Barcelona)
e-mail: info@robinbook.com
www.robinbook.com

Diseño de cubierta: Regina Richling

Diseño interior: La Cifra

ISBN: 978-84-9917-015-2 (tela)
ISBN: 978-84-9917-031-2 (rústica)

Depósito legal: B-37.062-2009

Impreso por Impreso por Egedsa, Rois de Corella 12-16, 08205 Sabadell (Barcelona)

Impreso en España - *Printed in Spain*

Índice

INTRODUCCIÓN · 9
Puertas hacia la oscuridad

CAPÍTULO UNO · 13
Anatomía de un vampiro
Descubrimientos de sepulturas · Más allá de lo físico

CAPÍTULO DOS · 49
El nacimiento de los no-muertos
El muerto viviente · Traspasar las puertas de la muerte · Lo sobrenatural · Imágenes en los espejos · Prácticas ocultas · Proclives a ser vampiros · Destinados a ser vampiros · Obligados a ser vampiros · La perdición de un vampiro

CAPÍTULO TRES · 81
Costumbres de los vampiros
Hacia la inmortalidad · Peligros intrínsecos · Requisitos de un vampiro · La lujuria de sangre de la condesa Bathory · Vestirse para cenar

CAPÍTULO CUATRO · 95
En busca del conde Drácula
Viaje al país de Drácula · El hogar del chupador de sangre ·

El príncipe Drácula el Empalador · El clan Drácula · Muerte de Drácula, nacimiento de Drácula

CAPÍTULO CINCO · 129
Familia de vampiros
Lord Ruthven · Varney el vampiro · El caballero Azzo · Carmilla · Julia Stone · La chica de los ojos hambrientos · El conde Drácula: príncipe de las tinieblas

CAPÍTULO SEIS · 151
La biblioteca del vampiro
La casa de los horrores de los aristócratas · El Drácula literario · El vampiro de Polidori

CAPÍTULO SIETE · 167
Unos orígenes inquietantes
La naturaleza del vampiro · Muerte y sangre · Denominaciones de vampiro · El linaje de los vampiros · Oriente

CAPÍTULO OCHO · 185
Cómo matar a un vampiro
Prevenir el regreso de los muertos · Prevenir el ataque de los vampiros · Matar al vampiro

EPÍLOGO · 207

Introducción

Puertas hacia la oscuridad

Durante siglos, la imaginación humana ha sido acosada por la figura del vampiro, una criatura sumida en la oscuridad y la leyenda, que se levanta de noche y bebe la sustancia de la vida de sus víctimas para reponer fuerzas. A lo largo del tiempo, numerosas leyendas, habladurías y testimonios de acontecimientos han alentado una fascinación compulsiva por el horror que despiertan los no-muertos.

El temor por los vampiros no solo tiene un origen fantasioso, sino que con frecuencia está fundamentado en fuentes documentales importantes. Hubo épocas en que Europa, y en particular su parte oriental, estuvo plagada de hordas de vampiros que, literalmente, desangraban pueblos medievales enteros. Las investigaciones científicas más precisas fueron llevadas a cabo por curas y nobles locales que intentaban poner fin a las sangrías que se llevaban a cabo por la noche en su territorio. Éstos descubrieron que en lugar de ser un fenómeno local, como se había creído hasta entonces, los vampiros tenían una larga historia y un claro linaje propio. Sus orígenes pueden reseguirse hasta el antiguo Egipto, cuando el culto a los muertos se representaba de forma ritual en ceremonias en que los acólitos veneraban una divinidad con aspecto de pájaro oscuro. Esta siniestra ave representaba el vuelo del alma en el momento de la muerte y su viaje al mundo de las tinieblas. Los muertos, que estaban «vivos» en su mundo, acudían de vez en cuando a acosar a los habitantes del mundo de la luz, e incluso podían llevarse a alguno a su propio mundo y terminar de este modo con sus vidas.

Cuando las tropas austriacas tomaron las tierras del este de Europa, parte de Serbia y Valaquia, las fuerzas de ocupación empezaron a darse cuenta de una extraña práctica local y a recopilar documentación. La gente del lugar exhumaba los cadáveres para «matarlos». Algunos extranjeros ilustrados comenzaron a acudir a dichas sesiones y luego dejaban constancia de lo que allí habían visto. Estos documentos, posiblemente distorsionados por mentes fértiles, se filtraron a Austria, Alemania, Francia e Inglaterra. Así fue como el resto de Europa tuvo conocimiento de estas prácticas, que de ninguna forma tenían un origen reciente, pero que daban una «publicidad» efectiva a «los extraños acontecimientos de Transilvania». El *vampir* eslavo o *vpir,* como también se le llamaba, tenía semejanzas con otras criaturas de Europa, a las que se hacía referencia con sus correspondientes nombres en sus propias culturas. Como este fenómeno no se restringía solo a una pequeña zona con prácticas primitivas sino que se encontraba ampliamente difundido, el *vampiro* tal y como lo conocemos hoy alcanzó carta de naturaleza. Estudiosos europeos han encontrado casos de no-muertos en culturas tan lejanas como la china, la indonesa o la filipina. Según parece, ha habido vampiros por todo el mundo. Eran personas muertas que habían fallecido antes de tiempo y por ello no solo se negaban a permanecer en ese estado, sino que volvían para acabar con amigos y vecinos.

En la literatura victoriana el vampirismo tenía un tono entre la insinuación sexual y la elegancia barroca.

Muerte llama a muerte, profunda y vieja creencia en que se fundamentan gran número de complejos instintos. Hace tiempo que el hombre moderno ha perdido contacto con sus intuiciones, esos pozos de sabiduría que no están asociados a la razón. En verdad, el vampiro, antiguo y moderno, nace en estas áreas del inconsciente de las que todavía se conservan pequeños pero significantes restos que afloran para darnos pistas muy sugerentes sin nunca ofrecernos toda la verdad.

Más allá del Crepúsculo es un libro basado en estos oscuros datos y leyendas surgidos a lo largo de miles de años y recogidos en relatos, documentos y encuentros que explican cómo acechan el mundo los ángeles negros que se niegan a morir. La información está esparcida, escondida y muchas veces es confusa y tiende a proyectar una inesperada sensación de incertidumbre sobre quien intenta profundizar en el tema. Nada existe que se pueda precisar, que el investigador pueda racionalizar, solo prevalece una honda sensación de duda: discusiones con los seres queridos, premoniciones de peligro, sueños sobre monstruos que atacan o huyen y la tendencia a vivir bajo algún tipo de sombra, la que deja el vampiro cuando abre su capa para que entre su víctima.

El lector de esta obra queda advertido de que estas páginas contienen la esencia del Príncipe de las Tinieblas, de que el libro fue tomado de la biblioteca del mismísimo conde Drácula, tan elegante como peligroso. Busque entrelíneas, en las leyendas, la sangre escondida con sigilo. Hechos o invenciones, ¿quién sabe cuál es la diferencia? A lo mejor en esta realidad no la hay. «Disfrutar» de este libro es sumergirse en ella.

Capítulo Uno

Anatomía de un vampiro

¿Qué es un vampiro? ¿Es un ser humano y por tanto un «él» o una «ella», o es en realidad un «ello», un monstruo maligno, una criatura horriblemente fea que casualmente tiene forma de persona? Este dilema entre su aspecto humano reconocible y la posibilidad de que haya adquirido una apariencia monstruosa es una de las claves para entender su «popularización», tanto en tiempos remotos como en la actualidad. Aunque podamos ver al vampiro con forma humana, también existe una versión grotescamente distorsionada, que nos ofrece el verdadero y horripilante contraste entre la suave carne humana y la podredumbre de la muerte. Sus rasgos físicos son repulsivos: uñas largas y curvadas como garras; piel con la palidez de un muerto, excepto cuando es reanimada tras ser alimentada; ojos que a menudo se describen como «muertos», pero que poseen una mirada hipnótica, y unos colmillos de rata dispuestos a atacar. El vampiro también es psicológicamente repulsivo: es malvado; está desprovisto de todo código moral; se mantiene fuera de cualquier tipo de sociedad normal y por tanto la amenaza; chupa sangre; mata sin piedad y, peor aún, es capaz de perpetrar el ulterior y más inhumano de los actos: transformar a sus víctimas en seres tan horripilantes como él, decisión unilateral que nadie meramente humano bajo su poder puede evitar.

El resultado de esta transformación es un hombre o mujer ordinarios que, a través de unos extraños rituales de intercambio de sangres, se convierten en inmortales. Pero el tipo de inmortalidad del vampiro está matizada por el castigo de los que desafían las leyes naturales. Los vampiros viven «en el otro lado», son los muertos que han escogido vivir entre los vivos en lugar de ascender o descender al lugar donde todas las almas deben descansar antes de emprender el viaje hacia otra vida. Su mundo es frío, oscuro y solitario. La mano de la muerte guía todas sus acciones, y es un yugo que deben llevar para siempre. Como veremos, el deseo más profundo del ser humano siempre ha sido prevenir el retorno de las ánimas y cimentar el camino para el descanso de los muertos. El propósito original de las lápidas que encontramos en cualquiera de nuestros cementerios era impedir que los muertos se sentaran.

El vampiro está obligado a matar, ya que debe llevar la maldad a la comunidad de hombres justos porque sirve a su insaciable ama, «la Señora Muerte».

Por tanto, los vampiros acechan pueblos perdidos en las montañas o marismas, rondan en la oscuridad del bosque y habitan castillos abandonados. En la actualidad incluso se siente su presencia en puertos, obras y otros rincones prohibidos de las modernas metrópolis. Pero la humanidad ha llegado a construir un ingente dossier con información y material sobre apariciones de vampiros y sus hábitos algo asquerosos. Este proceso de búsqueda y recopilación no fue solo fruto de la fascinación sino que es un intento de ayudar a futuras víctimas del vampirismo con la esperanza de poder erradicar para siempre su acoso. Estudiar el problema es la mitad de la solución.

Por tanto, disponemos, aunque solo seamos simples mortales, de un gran volumen de información sobre cómo reconocer a un vampiro. Algunas de sus características son más conocidas que otras, probablemente porque han sido más difundidas. Ejemplos de ello serían su pavor por el sol, los crucifijos o el ajo; su incapacidad para cruzar el agua; su tendencia a dormir en ataúdes; su preferencia por vírgenes jóvenes; la exigencia de llevar siempre consigo algo de tierra de su patria y la necesidad permanente de tener un ayudante para que realice el trabajo sucio de día.

Otros hechos son menos conocidos, pero también requieren nuestra atención, ya que muchas veces lo más importante está en lo menos conocido. Los vampiros también gozan de la reputación de tener mucha maña en esconder sus puntos débiles. Por ejemplo, son tanto mujeres como hombres; algunos son visibles y otros pueden cambiar de forma a su antojo; los hay que no succionan la sangre a sus víctimas sino que prefieren robarles algo más preciado como la juventud, la esperanza o el amor.

Puede ser que el vampiro sea tan irresistible porque es tan repulsivo. Influye tan poderosamente en nuestra imaginación porque representa tal distorsión de la naturaleza humana, que personifica la reversión de la normalidad. Ésta es una de las armas que usa el vampiro para invitar a sus víctimas a encontrarse con la muerte y forma parte del proceso de transformación que hará que le acaben amando. Captura nuestra imaginación y nos atrae hacia el camino de la desesperanza que parece tan atractivo. Ésta es su mayor aptitud, aunque, como veremos, tiene muchas otras.

Por ello, hombres y mujeres del pasado han escrito sobre temibles y extraños encuentros con vampiros, para prevenirnos de sus peligros y así poder contrarrestar su poderosa fuerza seductora. En las próximas páginas se describe a estos seres tal y como aparecen en los relatos. Se han recogido extractos de diversas partes del mundo y de distintas épocas, para ofrecer al lector el mayor espectro posible y que así pueda permanecer alerta y por tanto esté más seguro.

Descubrimientos de sepulturas

Mucho tiempo antes de que los vampiros llenaran las páginas de los relatos de terror románticos, como el *Drácula* de Bram Stoker, y fueran un fenómeno tan conocido como para hacer películas y novelas sobre ellos, ya acechaban los remotos pueblos del este de Europa, en las provincias de Hungría, Rumania y Transilvania. La descripción más común, la imagen que se nos viene a la mente cuando se habla de ellos, es la de un hombre, alto, muy delgado y de porte aristocrático. Viste un traje negro y una larga y envolvente capa. Como concesión a su origen, puede que su vestimenta esté polvorienta y algo desgastada, como si hubiese visto mejores tiempos. Pero, en lo esencial, es un tipo elegante que no rechazaríamos, al menos a primera vista. Sin embargo, si lo examinamos más de cerca, podemos observar como su sonrisa esconde unos protuberantes colmillos, exageradamente largos y muy afilados; su aliento es nauseabundo; sus uñas muy largas y curvas como si fueran las garras de un animal, y su tez tan pálida que parece que haya acabado de levantarse de una tumba.

Pero, ¿los vampiros que acechaban las aldeas tenían en realidad este el aspecto? En absoluto. De hecho, es importante que nos centremos en otro tipo de vampiro, muy lejano a este algo grotesco pero en esencia elegante personaje de película, sobre todo para ayudar a aquellos que permanecen alertas. El otro aguardaba su momento por los campos y caminos rurales en el remoto pasado y puede que todavía se encuentre en las regiones más lejanas y oscuras. Los siguientes fragmentos recogen los relatos de testigos oculares y son nuestra mejor fuente de información.

Informe del testigo ocular 1: Peter Plogojowitz

La historia de Peter Plogojowitz empieza en 1725. Los oficiales alemanes apostados en el pueblo de Kisilova, en el distrito de Rahm, fueron testigos de ella. Kisilova pertenecía en realidad a Serbia, aunque con frecuencia se ha ubicado en Hungría por la confusa situación política del momento.

Hacía diez semanas que nuestro protagonista, Peter Plogojowitz, había muerto y había sido enterrado según las costumbres religiosas locales de la época. En una semana, hubo nueve defunciones por una enfermedad que solo había tardado 24 horas en acabar con sus víctimas, tanto ancianos como jóvenes. Todos los que la contrajeron declararon «que mientras estuvieron en el lecho de muerte, los había visitado durante el sueño el mencionado Plogojowitz, muerto diez semanas antes, cayendo encima de ellos y asfixiándolos, de tal modo que sabían que iban a morir en breve».

Naturalmente, las personas del lugar se angustiaron mucho al escuchar esto, pero sus temores sobre la autenticidad de los hechos se reforzaron cuando supieron que la mujer de Plogojowitz había abandonado el pueblo tras la visita de su marido para pedirle sus *opanki* o zapatos.

Y ya que estos seres (que ellos llaman vampiros) muestran signos reconocibles —como que su cuerpo no se descompone y que les crecen la piel, el pelo, la barba y las uñas—, los aldeanos decidieron por unanimidad abrir la sepultura de Peter Plogojowitz y constatar si de verdad se podían observar en él los signos mencionados con anterioridad. Por esto acudieron a mí y me contaron lo que había sucedido y nos pidieron a mí y al pop local, o sacerdote, que asistiéramos al acto. Y aunque al principio me negué y les informé de que a la administración, tan digna de elogios, debía ser humildemente informada antes, y su elevada opinión escuchada, no quisieron saber nada de ello y en su lugar dieron esta breve respuesta: yo podía hacer lo que quisiese, pero si no les permitía ver el cadáver de forma legal y actuar como mandaba su costumbre, deberían abandonar sus casas y sus hogares, porque si aguardaban a recibir la graciosa respuesta de Belgrado, igual el pueblo entero ya había sido destruido por el espíritu maligno, y no querían esperar a que ello sucediese, puesto que eso ya había acontecido en tiempo de los turcos.

El narrador continúa:

Como no pude impedir que realizasen lo que ya tenían decidido hacer, ni con buenas palabras con ni amenazas, fui al pueblo de Kisilova y llevé conmigo al pope de Gradinsk. Vimos el cuerpo de Peter Plogojowitz recién exhumado y encontré, para ser totalmente fieles a la verdad, que el cadáver no desprendía el característico hedor a muerto y que salvo la nariz algo desprendida, el cuerpo permanecía en perfecto estado. Tenía pelo, barba y uñas nuevas, se le había desprendido su antigua piel, algo clara, y de ella había surgido otra nueva. La cara, las manos, los pies y todo el cuerpo estaban incluso en mejor estado que durante su vida. Cual fue mi sorpresa cuando observé la boca manchada de sangre fresca que, según acordamos los presentes, había sido succionada tras matar a sus víctimas. En resumen, presentaban todas las características que, como se menciona más arriba, se dice poseen esas personas. Después de que tanto yo como el pope viéramos este espectáculo, y mientras la gente se volvía cada vez más furiosa en lugar de temerosa, el gentío se puso a afilar una estaca para clavársela en el corazón. Mientras lo hacían, no solo manaba mucha sangre por la boca y los oídos sino que ocurrieron otros signos de lujuria, que pasaré por alto dado mi gran respeto a su institución. Al final, quemaron literalmente el tan nombrado cuerpo hasta convertirlo en cenizas, según las prácticas del lugar, de lo cual informo a ésta, la más loable administración, y, al mismo tiempo, quisiera pedirle, con obediencia y humildad, que si se hubiera cometido un error en tales hechos, no me sea atribuido a mí, sino a la muchedumbre que estaba presa del pánico.

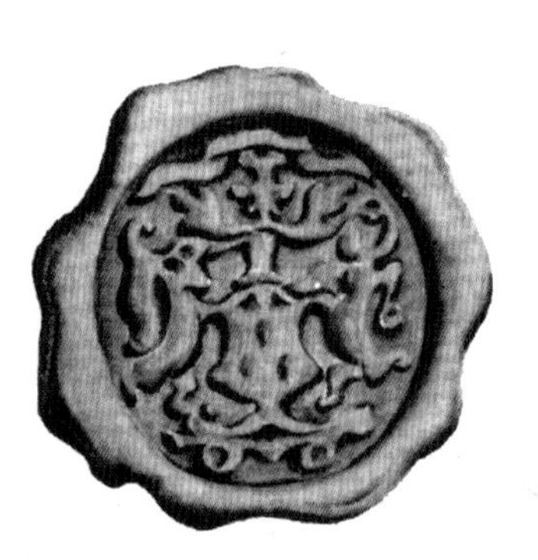

Durante la Edad Media, todos los informes de investigaciones sobre vampiros debían ser sellados por un funcionario local o un médico. Los sellos que aparecen arriba son reproducciones de los encontrados en dichos documentos.

Este largo informe, escrito en el característico lenguaje burocrático utilizado en el siglo XVIII en Europa del Este, revela que el vampiro Peter Plogojowitz era un campesino del pueblo de Kisilova como cualquier otro. Desgraciadamente, no se nos cuenta su carácter ni sus rasgos físicos antes de morir, pero queda claro en la descripción que no era de origen aristocrático, ni llevaba puesta una larga capa negra en la tumba, detalles que es difícil que hubiesen sido pasados por alto. El documento ilustra de manera muy clara la diferencia entre el vampiro de ficción y el folclórico, al menos desde un punto de vista de su aspecto físico. El primero, como ya hemos descrito, es elegante, aristocrático y excéntrico, y sus rasgos grotescos solo son visibles si se le observa con atención. El segundo es quizás incluso más traicionero, ya que se parece tanto a ti como a mí, y se le puede confundir con cualquiera de los millones de personas que conviven con nosotros en nuestro planeta.

Por tanto, parece importante que examinemos detenidamente las características de Peter Plogojowitz descritas en el informe, para que podamos familiarizarnos con todas las especies de vampiros, en todas sus potenciales formas. Así que, empezaremos por analizar algunos de los signos clásicos de vampirismo.

1. Si se lee el documento con atención, parece que este fenómeno toma forma de epidemia. Prueba de ello es que primero murió Peter Plogojowitz y al cabo de una semana fallecieron nueve personas más, tanto jóvenes como mayores, por causa de una enfermedad que solo tardó 24 horas en matarlos. En consecuencia, se acusa a Peter Plogojowitz de acabar con sus vidas, al igual que se hubiese responsabilizado a una víctima de una epidemia de peste de causar la muerte a sus paisanos. Sin embargo, si se tienen en cuenta los avances de la medicina moderna, debemos rechazar la idea de plano, o quizá no y éste sea un error del hombre «racional» que siempre necesita pruebas «concretas» cuando un hecho misterioso se esconde bajo la superficie y pone en entredicho sus certidumbres. Para el campesino, que siempre tenía en cuenta la magia, el vampirismo era una epidemia. Un vampiro transformaba a una persona en otro de su especie, que a su vez convertía a otro y éste al siguiente. Si no se movían con rapidez y eliminaban esta peste, todos sus ve-

cinos y amigos acabarían igual, el pueblo pronto extendería la infección por la ciudad y ésta por el país, y al final, el mundo entero terminaría lleno de muertos vivientes. Éste debía ser el mayor temor de personas que hubiesen sufrido experiencias como la presencia de Peter Plogojowitz, un miedo que todavía existe; prueba de ello son historias cortas como *Lugar de encuentro* de Charles Beaumont, escrita en 1953, y relatos y películas más recientes donde aparecen seres de ultratumba de varios tipos.

2. El vampiro descrito abandona su sepultura de noche, se presenta ante sus víctimas y les chupa la sangre o las estrangula. Este tipo de vampiro es conocido por los expertos como *ambulante* y es el más común.
3. En el texto se dice que el cuerpo está «totalmente incorrupto»: aunque se le haya desprendido la nariz, le han crecido el pelo, la barba y las uñas y aparece piel nueva debajo de la antigua. Ésta es otra característica importante de todos los vampiros: cuando son exhumados no parecen haber muerto, al contrario, muestran signos de rejuvenecimiento.
4. El cuerpo no desprende un olor nauseabundo, pero esto no solo ocurre cuando se desentierran cadáveres de vampiros. De hecho, un clérigo del siglo XVIII, Dom Calmet observó que: «al desenterrarlos (los vampiros), el cuerpo está rojo, con los miembros flexibles y sin gusanos ni podredumbre visibles, pero desprenden un fuerte hedor». La fetidez del cuerpo es una importante conexión entre el vampirismo y la peste, pues como hemos dicho antes, según el folclore europeo los vampiros causan epidemias. Con frecuencia se asociaba el mal olor a la existencia de una enfermedad, incluso se creía que podía ser su causa. Parece lógico pensar que si los cadáveres despiden un fuerte hedor, éste provocase enfermedades y muerte. Para combatir estos olores, se introducían en el ataúd sustancias con una fragancia penetrante, como maderas aromáticas, junípero o cenizas. En resumen, el vampirismo era considerado contagioso.
5. Quizá debiéramos destacar la mayor señal de vampirismo de Peter Plogojowitz, la presencia de sangre todavía fresca de su boca. A no ser que fuera planeado de alguna manera, es difícil rechazarlo como prueba fehaciente. ¿Cuántos cadáveres conservan la sangre sin coagular? Además, su propia sangre también seguía fluyendo, hecho que lo condena a ser un vampiro.

6. Se nos cuenta que cuando los aldeanos lo empalan sangra profusamente, después de haber permanecido varias semanas en la tumba. Las señales de lujuria que el autor prefiere obviar se refieren probablemente a que el pene estaba erecto. El vampiro es un ser sexual, y su sexualidad es obsesiva. Por ejemplo, en las leyendas yugoslavas, cuando el vampiro no succiona sangre, puede extenuar a su viuda con sus atenciones, hasta el punto de que ésta languidezca como sus demás víctimas. En consecuencia, también se nos plantea la cuestión de si la única actividad de los vampiros es chupar sangre o si las jóvenes son asimismo violadas.

Podemos concluir que Peter Plogojowitz fue la primera persona de su pueblo que cogió un auténtico caso de vampirismo y que contagió a los demás. Fue así como se ganó su puesto en la historia.

Usemos pues el primer ejemplo para realizar una lista de las auténticas «cualidades» de los vampiros.

1. Tienen el poder de crear en ciertos individuos elegidos, que tanto pueden ser hombres como mujeres, una especie de epidemia de deseo lujurioso por la sangre.

2. Cuando se desentierra a un vampiro, no parece estar muerto. Su carne no se ha descompuesto, y no hay señales de *rigor mortis,* la sangre todavía corre por sus venas.
3. Parece haber evidencias de que este ser conserva un gran apetito sexual y que no pierde su vigor cuando se le entierra.

Informe del testigo ocular 2: *Visum et repertum*

Éste es quizás uno de los ejemplos más importantes de vampirismo en el que se ha visto envuelto un pueblo entero. El caso fue tan serio que llegó a atraer la atención de las autoridades que solicitaron un informe y éste ha pasado a la historia como *Visum et Repertum* (visto y descubierto). Esta historia es la de un hombre llamado Arnold Paole que murió al caer de su carro de heno y que sin duda hubiese pasado desapercibido si no se le hubiese desenterrado, empalado y quemado. La mencionada crónica, realizada tiempo después, es uno de los documentos más fascinantes y curiosos jamás hallado.

VISUM ET REPERTUM

Tras ser informados de que en el pueblo de Medvegia los llamados vampiros habían matado a varias personas para chuparles la sangre, fui enviado por decreto de un honorable mando supremo local, junto a otros militares que fueron asignados para este fin y dos suboficiales médicos, al lugar de los hechos, para investigar el asunto con mayor profundidad. Por tanto llevé a cabo y escuché la presente investigación junto con el capitán de la compañía Stallath de los haidjuks o haiduques (tipo de soldado), Gorschiz Hadnack, el bariactar y el haiduque más anciano del pueblo. Los acontecimientos ocurrieron de la siguiente forma: cuentan de manera unánime que hace cinco años, un haiduque local de nombre Arnold Paole se rompió el cuello al caer de su carro de heno. Durante su vida, este hombre había revelado con frecuencia que cerca de Kosovo, en la Serbia turca, había sido atacado por un vampiro, razón por la cual había comido tierra de su tumba y se había untado con su sangre, para liberarse de la vejación que sufría. Veinte o treinta días después de su muerte, algunas personas se quejaron de que el propio Arnold Paole los había atacado; de hecho había matado a

Los ángeles que cuidan los muertos de nuestros cementerios a menudo adoptan la atmósfera de oscuridad de la que nos pretenden proteger.

William Blake refleja en este grabado de 1790 el dolor ante una gran pérdida.

cuatro personas. Aconsejados por su hadnack (soldado), quien había presenciado tales sucesos con anterioridad, lo desenterraron cuarenta días después de su muerte para poner fin a estos males y encontraron que se hallaba bastante entero e incorrupto y que había manado sangre fresca por sus ojos, boca, nariz y orejas; su camisa, el sudario y el ataúd estaban completamente ensangrentados; se habían desprendido las antiguas uñas de las manos y los pies así como la piel y que ésta le había crecido de nuevo. Como a través de estos signos vieron que era un verdadero vampiro, le atravesaron el corazón con una estaca, según costumbre para con los de su clase. Acto seguido soltó un audible alarido y sangró profusamente. Luego, ese mismo día, los aldeanos quemaron el cuerpo hasta convertirlo en cenizas y echaron éstas en la tumba. También aseguran que todo aquel que haya sido atormentado y asesinado por un vampiro termina por convertirse en uno de ellos. En consecuencia, desenterraron de la misma forma a las cuatro personas mencionadas con anterioridad. Según decían, Arnold Paole no solo atacó a personas, sino también a reses y, como la gente había comido su carne, parece ser que varios vampiros vuelven a estar presentes entre nosotros, ya que, en un período de tres meses, diecisiete personas tanto jóvenes como ancianas, algunas de las cuales no tenían enfermedad previa, fallecieron en dos o tres días a lo sumo. Además, el haiduque Jowiza cuenta que su hijastra, de nombre Stanacka, se fue a dormir hace quince días totalmente sana, y que se despertó a media noche y, llena de terror, soltó un terrible alarido. Se quejó de que había sido estrangulada por el hijo de un haiduque de nombre Milloe que había muerto hacía nueve semanas, tras lo cual había sentido un fuerte dolor en el pecho que se agravó de hora en hora, hasta que, al cabo de tres días, terminó por fallecer. En consecuencia, esa misma tarde fuimos al cementerio, junto con los ya mencionados haiduques más ancianos, para abrir las tumbas sospechosas y examinar los cadáveres que contenían. Tras la disección de todos ellos, se concluyó haber encontrado:

1. *Una mujer de veinte años de nombre Stana, que había muerto dos meses antes, tras estar enferma tres días, había declarado haberse pintado con la sangre de un vampiro. Tanto ella como su bebé, fallecido nada más nacer y que había sido medio comido por los perros porque le habían enterrado mal, debían también convertirse en vampiros por los actos de la madre. De hecho, esta última se hallaba intacta e incorrupta. Tras abrir el cuerpo, se encontró sangre fresca extra vascular*

en la cavitate pectoris. *Los* vasa *(vasos) de las* arteriae *y* venae, *así como el* ventriculis ortis, *no estaban, como ocurre normalmente, llenos de sangre coagulada, y todas las* víscera, *es decir* pulmo (pulmón), hepar (hígado), stomachus *(estómago),* lien *(brazo)* et intestina *estaban bastante bien, como los de una persona sana. Pero el útero se hallaba bastante dilatado e inflamado por el exterior, ya que la placenta se había quedado dentro y estaba, por tanto, en completo estado de* putredine. *Se le habían caído la piel de las manos y los pies, y las viejas uñas, pero éstas últimas habían vuelto a crecer, así como una nueva y vívida piel.*

2. *Una mujer de 60 años a la que llamaban Miliza, que había fallecido tras estar enferma durante tres meses y había sido enterrada hacía algo más de noventa días. En su pecho se halló mucha sangre líquida y el resto de vísceras estaban, al igual que en el caso anterior, en buen estado. Durante la disección, los haiduques que había alrededor mostraron gran sorpresa por su rechoncho y perfecto cuerpo y de forma unánime declararon que conocían bien a la mujer desde su juventud y que en vida había sido muy flaca, por tanto, había adquirido su redondez en la tumba. Según ellos era la que había iniciado los vampiros esta vez al comer la carne de las ovejas aniquiladas por éstos.*
3. *Un bebé de ocho días, que había permanecido en su tumba durante noventa días y presentaba parecidos signos de vampirismo.*
4. *El hijo de un haiduque, de dieciséis años, que había permanecido bajo tierra nueve semanas por haber muerto de una enfermedad que duró tres días, tenía el aspecto de los demás vampiros.*
5. *Joachim, también descendiente de un haiduque, de diecisiete años, que había fallecido tras una enfermedad de tres días. Le habían sepultado hacía ocho semanas y cinco días y, cuando lo diseccionaron, lo encontraron en similares condiciones.*
6. *Una mujer, de nombre Ruscha, que había muerto de una enfermedad de diez días y había sido sepultada seis semanas antes. No solo tenía mucha sangre fresca en el pecho sino también en* fundo ventriculi. *Su hijo, de dieciocho días, finado cinco semanas antes, se hallaba igual.*
7. *Una niña de diez años, muerta dos meses antes. Se encontraba en similares condiciones, es decir, incorrupta y con mucha sangre en el pecho.*

La imagen de arriba recuerda las palabras del filósofo francés Jacques Lacan: «El espejo puede reflejar durante un poco más de tiempo antes de devolver la imagen a su dueño».

8. *La esposa del Hadnack y su hijo. Hacía siete semanas que ella había muerto y el niño, de ocho semanas, lo había hecho veintiún días antes. Hallaron que tanto madre como hijo estaban completamente descompuestos, aunque la tierra y las tumbas se encontrasen como la de los vampiros enterrados cerca de ellos.*
9. *Un criado del cuerpo de los haiduques, llamado Rhode, de veintitrés años, fallecido de una enfermedad de tres meses de duración. Estaba en completo estado de descomposición, después de permanecer sepultado cinco semanas.*
10. *La mujer del bariactar, con su hijo, que habían muerto cinco semanas antes, y que se hallaban completamente descompuestos.*

11. *Stanche, un haiduque de la zona, de sesenta años, fallecido hacía seis semanas y cuyo pecho y estómago contenían mucha sangre líquida. Las señales de vampirismo varias veces citadas estaban presentes en todo el cuerpo.*
12. *Milloe, un haiduque de veinticinco años, que había permanecido bajo tierra seis semanas, fue encontrado en el mencionado estado de vampirismo.*
13. *Stanoicka, la mujer de un haiduque, de veinticinco años, muerta tras estar tres días enferma, y que había sido sepultada hacía dieciocho días. Durante su disección encontré su semblante bastante enrojecido, de un rojo fuerte. Como ya he mencionado, había sido estrangulada por Milloe, hijo del haiduque. También se podía observar, en la parte derecha, debajo de la oreja, un morado de un dedo de largo. Cuando se la extraía de la tumba, sangró bastante por la nariz. Su fragante sangre fresca fluía con regularidad, no solo en la cavidad torácica sino también* in ventrículo cordis. *Todas las vísceras estaban en perfecto estado y sanas. La hipodermis de todo el cuerpo y las uñas de las manos y los pies se encontraban sin ninguna señal de putrefacción. Una vez se terminó el examen de los cadáveres, los gitanos del lugar cortaron las cabezas a los vampiros y las quemaron, al igual que el resto de sus cuerpos, y lanzaron sus cenizas al río Morava. Sin embargo, los cadáveres en descomposición fueron vueltos a enterrar. Doy testimonio junto con los médicos militares.*

Estas páginas podrían perfectamente estar extraídas de un libro de terror de ficción. Pero éste y muchos otros informes, firmados y redactados por funcionarios y médicos, han creado la base tangible de la creencia en el vampirismo. Estos hechos, aunque permanezcan ocultos en las amarillentas páginas de los libros de historia, son tan comprobables como los de cualquier otro evento histórico y crearon una terrorífica fascinación en los refinados oídos románticos de la época. Son fácilmente imaginables todas las especulaciones, elucubraciones y transformaciones que despertaron estos contenidos verídicos y su efecto catalizador en un público deseoso de temblar de miedo con monstruosas criaturas que intimidaban tierras lejanas.

Como en el caso anterior, podemos analizar varias observaciones inherentes a este examen de los hechos para ver si se puede añadir alguna conclusión a nuestra lista de características. En primer lugar cabe destacar que la actitud general de las autoridades de la investigación es parecida a la que hoy en día se tendría, por ejemplo, ante un accidente de tráfico o una epidemia local grave. Todo el asunto es tratado con suma seriedad.

1. La situación trastoca toda la zona y no se considera como un pequeño evento que pasa casi inadvertido.
2. En dos casos, los de Paole y Stana, las personas usan la sangre de los vampiros como antídoto, pero falla en ambos. ¿De donde surge este «método»?
3. La gente dice que, una vez muerto, Arnod Paole los atacaba de noche.
4. Se desentierra a Paole 40 días después de su muerte. Según los médicos, por entonces ya no debería permanecer intacto. Sin embargo, no se hallan signos de descomposición, su sangre sigue fresca y su pelo y uñas han seguido creciendo tras su muerte.
5. Se empala y se incinera el cuerpo de Paole. El cadáver gime y sangra mientras lo hacen. Aunque los funcionarios no presenciaron los hechos directamente, los anotaron tal y como los escucharon.
6. Se dice que las víctimas de los vampiros se transforman asimismo en uno de ellos.
7. El vampiro también ataca a reses. Las personas que comen carne de estos animales también caen víctimas del vampirismo.
8. El hijo de Stana, que fue mal sepultado, es desenterrado por perros. Esta información es reveladora porque la introducción del ataúd se produjo, entre otras razones, por temor al vampirismo: el hecho de que el cuerpo fuera desenterrado por animales y que por tanto no pudiera abandonar esta vida con tranquilidad, lo que le hacía vulnerable al vampirismo.

9. En uno de los ejemplos de exhumación, el de Miliza, el cuerpo ha cambiado de aspecto y ha engordado, mientras que en vida su dueña era delgada. Éste es un hecho relevante porque, como descubriremos más adelante, se cree que otro estado, incluso contradictorio con éste, es el que indica la existencia de vampirismo.
10. Para probar que los cadáveres sin síntomas de descomposición son algo inusual, se señala, por contraste, que los demás cuerpos habían empezado a deteriorase de forma natural.
11. Uno de los vampiros (Stanoika) tenía una marca debajo de la oreja, considerada por Fluekinger como una señal de «estrangulamiento». Pero como se solía buscar esta marca en la piel de una bruja o vampiro, este descubrimiento solo confirmaría que algo poco normal ocurría en el cuerpo.

En la misma isla asistimos a una escena bastante diferente y trágica ocasionada por uno de esos cadáveres que se cree volvió entre los vivos tras ser enterrado. Lo que os voy a contar sucedió en Mikonos a un campesino hosco y conflictivo, circunstancia importante a destacar para los acontecimientos posteriores. Lo mataron en el campo, pero nadie sabía quién lo había hecho ni cómo había sucedido. Dos días después de ser enterrado en una capilla del pueblo, se rumoreó que lo habían visto caminar por la noche dando grandes zancadas, entrar en las casas, tirar muebles, apagar luces, abrazar a gente por la espalda y jugar miles de pícaras jugarretas. Al principio, la gente solo se reía, pero el asunto se volvió serio cuando las personas más respetadas del lugar comenzaron a quejarse. Incluso los popes daban fe de estos sucesos, y sin duda tenían motivos para ello. A pesar de las misas, el campesino continuaba con sus escapadas. Tras varias reuniones de las autoridades de la ciudad y de sus curas y monjes, se llegó a la conclusión de que sería necesario, de acuerdo con no sé muy bien qué ceremonia antigua, esperar a que hubiesen pasado nueve días desde su entierro.

Al décimo día celebraron una misa en la capilla donde se encontraba el cuerpo para echar al demonio que, según creían, se había escondido en él. Tras este acto desenterraron el cadáver y la gente intentó extraerle el corazón. El carnicero del pueblo, bastante anciano y torpe, comenzó por abrirle la barriga en lugar del pecho y hurgó entre sus entrañas sin encontrar lo que buscaba. Al final, alguien le informó que debía cortar el diafragma, y, ante la sorpresa de todos los presentes, le arrancó

Es fácil entender cómo las leyendas de un lejano pasado mantienen su poder en la mente humana, una vez se han grabado en piedra.

el corazón. Pero el cuerpo desprendía tan mal olor que hubo que quemar incienso, pero el humo mezclado con la peste a carroña, no hizo más que empeorar el hedor e incendiar todavía más las mentes de la pobre gente. Su imaginación, golpeada por el espectáculo, se llenó de visiones. Se les metió en la cabeza que el denso humo salía del cuerpo y no nos atrevimos a llevarles la contraria. La gente de la iglesia y de la plaza no paraba de gritar ¡Vrykolakas*!, término que usan en Grecia para designar a los vampiros. El rumor corrió por la ciudad como la pólvora; este nombre parecía haberse inventado para hacer temblar la capilla. Varios de los presentes afirmaron que la sangre de este desafortunado hombre estaba bastante roja y el carnicero juró que el cuerpo estaba todavía caliente, por lo que concluyeron que el muerto tenía el defecto de no estar del todo muerto, o mejor dicho, de haberse dejado reanimar por el demonio, pues ésta es exactamente su idea de lo que es un* vrykolakas. *La palabra resonaba de forma sorprendente. Luego llegó una multitud que aseguraba, entre gritos, haber visto con claridad, cuando llevaron el cadáver de los campos a la iglesia para enterrarlo, que no se había vuelto rígido y ello era otra prueba de su verdadero vampirismo. No paraban de decirlo.*

Estoy seguro, por su gran sorpresa ante lo sucedido y su convencimiento del retorno de los muertos, que si no hubiésemos estado presentes, esta gente hubiese insistido en que el cadáver no desprendía olor. En cuanto a nosotros, que nos situamos próximos al cadáver para poder realizar las observaciones desde cerca, casi nos morimos del hedor que soltaba. Cuando nos preguntaron qué pensábamos del difunto, respondimos, para calmar o al menos para no despertar todavía más una imaginación ya suficientemente trastocada, que le veíamos adecuadamente muerto. Les contamos que no era de extrañar si el carnicero había encontrado el cuerpo caliente al hurgar en las entrañas que se pudrían; los gases, por su parte, eran normales, puesto que también se desprenden si se revuelve un montón de estiércol y la pretendida sangre roja, todavía en las manos del carnicero, no hacía otra cosa que apestar.

Tras escuchar nuestros razonamientos, decidieron ir a la playa y quemar el corazón. El difunto, a pesar de todo lo sucedido, se comportaba de forma cada vez más violenta y ruidosa. Lo acusaban de pegar a la gente de noche, de entrar sin permiso en las casas o de colarse por el tejado; de romper ventanas y ropa, de vaciar cántaros y botellas. Desde luego era un muerto muy sediento. No se libró ninguna casa salvo la del cónsul, donde vivíamos. Jamás había visto algo tan lastimoso como el estado en que quedó la isla. Incluso la gente más honesta era víctima de sus andanzas. Era una enfermedad cerebral, tan peligrosa como la locura o la ira. Familias enteras abandonaban sus casas, algunas incluso traían sus colchones de paja desde las afueras del pueblo hasta la plaza principal para pasar la noche. Todo el mundo protestaba de alguna nueva fechoría y, cuando caía la noche, solo se oían quejidos. Los más inteligentes se mudaron al campo.

Ante esto decidimos no decir nada. No solo nos hubieran tratado de locos, sino de infieles. ¿Cómo se podía devolver el sentido común a toda una población? Los que en el fondo pensaban que no teníamos su misma opinión, nos reprochaban nuestra incredulidad y afirmaban que los pasajes del padre Richard (un misionero jesuita) en Escudo de la Fe, *que merecían todo su crédito, probaban la existencia de* vrykolakas. *Decían, además, que, como era latino, debíamos creerle. Tampoco hubiésemos llegado a ninguna parte si hubiéramos desmentido la conclusión. Cada mañana montaban una escena cuando recitaban las gestas cometidas por ese pájaro de la noche, que fue acusado de hasta el más abominable de los pecados.*

Los ciudadanos, celosos de buscar el bien público, consideraban que la parte más importante de la ceremonia no se había realizado bien. No se debería haber pronunciado la misa hasta que hubiesen arrancado el corazón del pobre desdichado y por eso no habían podido sorprender al demonio. Al comenzar con la misa, continuaban, el diablo había tenido tiempo para huir y regresar cuando hubiera querido.

Se encontraban pues igual que el primer día. Se reunían de día y de noche, hablaban y organizaban procesiones para tres días y noches. Obligaban a los popes a ayunar, a ir de casa en casa con el hisopo para bendecirlas y a rociar las puertas con agua bendita. Incluso llegaron a llenar la boca de ese pobre vrykolakas *con ella.*

Les llegamos a explicar tan a menudo a las autoridades del pueblo que si hubiera sucedido algo parecido en la Cristiandad se hubiese puesto vigilancia de noche para averiguar qué ocurría, que terminaron por arrestar a cuatro vagabundos que desde luego estaban implicados en el asunto. Pero al parecer, o no habían sido los agentes principales o se les soltó demasiado pronto, puesto que tras dos días volvieron a las andadas y, para compensar el ayuno de la prisión, comenzaron otra vez a vaciar las jarras de vino de los ciudadanos que habían sido suficientemente tontos como para abandonar sus casas de noche. Entonces, la gente se puso otra vez a rezar.

Un día, mientras oraban tras haber clavado no sé cuantas espadas en la sepultura del cadáver que desenterraban tres o cuatro veces al día, un albano, que andaba por casualidad en la isla, les dijo en tono muy profesional que no debían usar las espadas de los cristianos en un caso como éste. «No veis, pobres ciegos, que su forma de cruz impide al diablo abandonar el cuerpo! Lo que debéis hacer es utilizar espadas turcas.» La opinión de este inteligente hombre no sirvió de nada. El Vrykolakas *no se portó mejor y la gente volvió a desesperarse. Ya no sabían a qué santo apelar y, con una sola voz, como si hubiesen quedado de acuerdo, empezaron a gritar por todo el pueblo que ya habían aguardado lo suficiente y que debían quemar todo el cuerpo. Luego desafiaron al demonio a instalarse en él. Era mejor alcanzar estos extremos, puesto que si no la isla terminaría desierta. De hecho, algunas familias ya habían empezado a empacar para marcharse a Siros o a Tinos. Así pues, por orden de los gobernantes de la isla, llevaron el* Vrykolakas hasta el *extremo de la isla de San Jorge, donde se había preparado una gran pira funeraria con alquitrán, ya que temían que la madera sola, muy seca, no quemase a la velocidad deseada. Los restos del pobre cadáver se consumieron con extremada velocidad. Corría el uno de enero de 1701. Mientras volvíamos de Delos, todavía se veía el fuego que podía haberse llamado la hoguera del júbilo, pues ya no se volvieron a oír más quejas de* Vrykolakas. *Estaban contentos porque esta vez, podían asegurarlo, habían cazado al demonio y para celebrarlo compusieron canciones donde se le ridiculizaba.*

La gente de todo el archipiélago cree que el diablo solo revive en los cadáveres de los griegos ortodoxos. En isla de Santorini están aterrorizados por este tipo de hombre lobo, mientras que en Mikonos, una vez desaparecieron las anteriores visiones, los habitantes pasaron a temer la persecución de los turcos y del obispo de Tinos. Ningún pope quiso estar presente en la isla de San Jorge cuando quemaron el cuerpo, ya que temían que el prelado exigiese una suma de dinero por haber exhumado e incinerado el cadáver sin su permiso. Seguro que los turcos, en cuanto visitaron la isla por primera vez, hicieron pagar al pueblo de Mikonos toda la sangre derramada por ese pobre demonio que acabó por convertirse en una abominación para su país, en todos los sentidos.

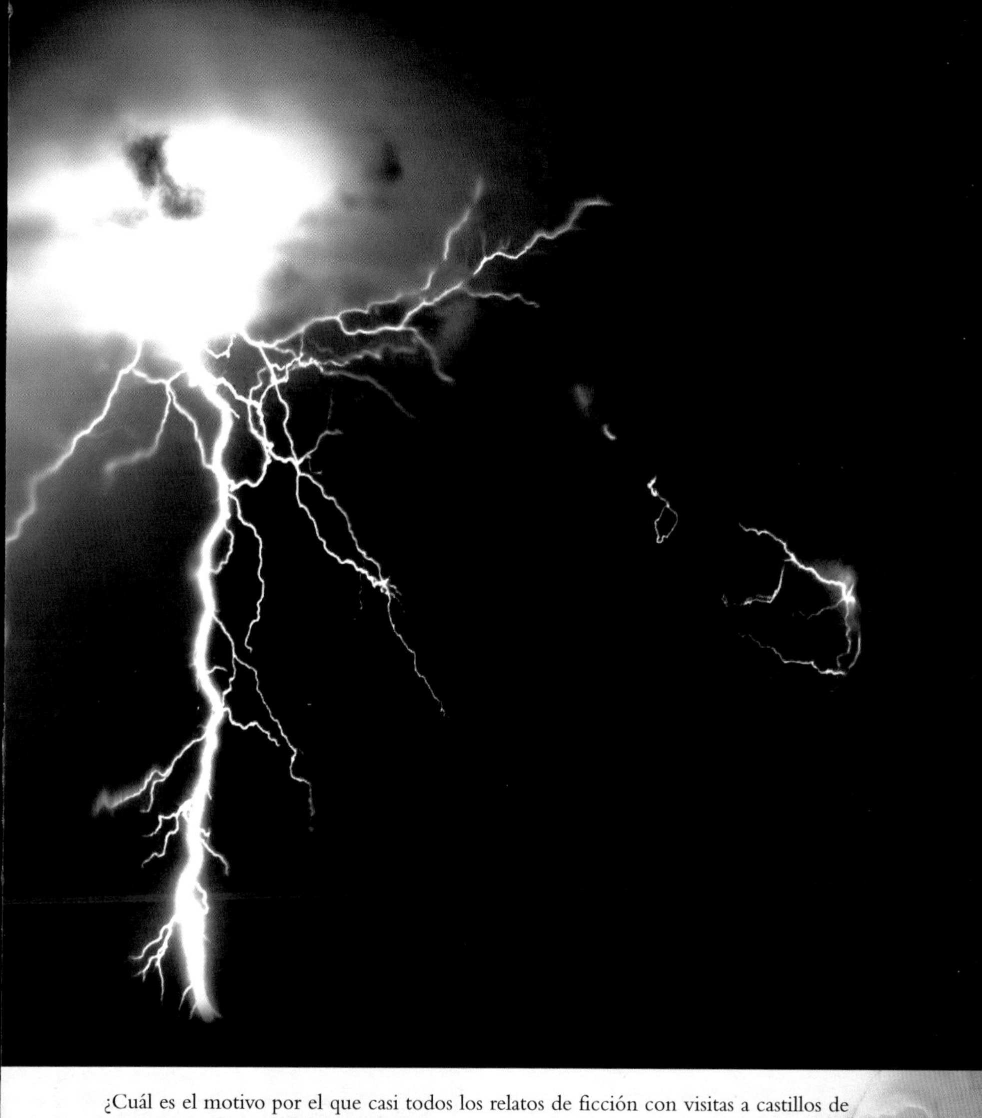

¿Cuál es el motivo por el que casi todos los relatos de ficción con visitas a castillos de vampiros ocurren durante grandes tormentas con rayos y mucha lluvia?

Más allá de lo físico

La característica más destacable de un vampiro es que, a pesar de parecer humano, no se asemeja a ningún otro hombre. Este enigmático hecho constituye, probablemente, su mayor poder sobre los simples mortales, quienes se sienten atraídos por su belleza huidiza, por algo que parece real pero no lo es. En definitiva, les seduce el poder de una criatura que solo es una ilusión «humana».

Los vampiros han decidido vivir entre nosotros precisamente *porque* parecemos estar obsesionados por conseguir lo que no podemos poseer, *porque* anhelamos obtener lo inalcanzable, *porque* logramos cumplir nuestros deseos, miedos y expectativas, y llenar el vacío de nuestras vidas con lo que representan. Se podría argumentar que el vampiro solo es un espejo muy pulido donde se reflejan todos nuestros sueños y fantasías sexuales e intelectuales, y la proyección dota a esta extraña criatura de un poder de atracción difícil de resistir.

Para entender el poder del vampiro sobre nuestras mentes podemos empezar por meditar sobre las historias de hombres que encontraron su perdición por caer en su poder. Estas malvadas criaturas de la oscuridad robaron sus vidas, amores, almas y corazones.

> *Miraba a su alrededor como si no participara en la diversión general. Aparentemente, solo atraían su atención las risas de los demás, como si pudiera acallarlas a su voluntad y amedrentar aquellos pechos donde reinaba la alegría y la despreocupación. Los que experimentaban esta sensación no sabían explicar cuál era su causa. Algunos la atribuían a la mirada gris y fija, que penetraba hasta lo más hondo de su conciencia, hasta lo más profundo de su corazón. Aunque lo cierto era que la mirada recaía sobre la mejilla como un rayo de plomo que pesaba sobre la piel que no lograba atravesar.*

Este pasaje pertenece a la famosa obra del doctor John Polidori (1795-1821), *El Vampiro*. Su autor, tío de Dante Gabriel y Cristina Rossetti, fue la persona más joven en recibir el título de médico de la Universidad de Edimburgo. También fue compañero de viaje del gran poeta y escritor romántico inglés

El mundo del cine ha enriquecido nuestro pasado mitológico con historias misteriosas de terror. Arriba, Max Scherck como Count Orlok en *Nosferatu* (FW Murnau, 1922).

George Gordon, más conocido como lord Byron (1788-1824). En 1816, éste planificó un viaje a través de Europa pasando por Suiza donde vivían su amigo Percy Bysshe Shelley y su mujer, Mary Shelley. Byron escogió a Polidori como compañero de viaje básicamente porque éste tenía una brillante conversación y porque en aquella época se acostumbraba a llevar un médico en los viajes largos. Sin embargo, cuando llegaron a Suiza, donde se reunieron con los Shelley, los dos viajeros ya habían discutido varias veces y los ánimos estaban encendidos. Como hacía mal tiempo, el grupo decidió leer unas historias de fantasmas traducidas del alemán al francés. Inspirado por la bruma reflejada en las tormentosas aguas del lago de Ginebra, Byron propuso que cada uno de ellos inventara un relato sobre ese tema. Mary Shelley elaboró en su mente la historia de su novela *Frankenstein*, y se puso a escribir de inmediato. Su marido perdió interés en el proyecto al poco de empezar y no hizo nada, y Byron redactó un breve fragmento en su cuaderno de notas. Las peleas entre los dos viajeros no cesaban y Polidori decidió abandonar Ginebra. Un par de años después, en 1819, una revista llamada *New Monthly Magazine* publicó una historia llamada *El vampiro,* atribuida a lord Byron. En su edición del mes siguiente salió una carta del doctor Polidori en la que reclamaba ser él quien había inventado la historia, aunque admitía que el aristócrata también había usado sus papeles de Ginebra. El protagonista de *El vampiro*, lord Ruthven, parece estar basado en el mismo Bryon y nos ofrece muchas pistas sobre la intrigante naturaleza de un vampiro.

Aubrey, el alter-ego de John Polidori en la historia, queda hechizado por el poder de seducción de lord Ruthven (alias lord Byron) y decide observarle de cerca:

> *Lo escrutó con atención. Y ante la imposibilidad de formarse una idea del carácter de un hombre tan completamente absorto en sí mismo, de un hombre que presentaba tan pocos signos de observación de los objetos externos a él —aparte del tácito reconocimiento de su existencia, implicado por la evitación de su contacto con ellos, dejando que su imaginación ideara todo aquello que halagaba su propensión a las ideas extravagante — pronto convirtió a semejante ser en el héroe de un romance. Y decidió observar a aquel retoño de su fantasía más que al personaje en sí mismo.*

Este es el primer paso peligroso para caer en la tela de araña que cubre la entrada de los dominios de un vampiro: como éste parece estar «completamente absorto en sí mismo», y no parece haber nada en su carácter sospechoso de vampirismo, la mente empieza a elaborar, a construir una fantasía sobre la realidad y el vampiro se convierte en «el héroe de una historia idílica».

El segundo paso se basa en la necesidad de la mente humana de creer en sus hijos o semejantes en lugar de enfrentarse de forma fría con la realidad. Es decir, preferimos dar más crédito a nuestra fantasía que a los sentidos. Por tanto, el vampiro parece vacío, como una sombra, y nosotros, los observadores humanos, podemos proyectar en él la forma que más se ajuste a nuestras

Byron (izquierda) y Mary Shelley (abajo), dos de los creadores del vampirismo literario del siglo XIX.

El pedigrí de Byron resultó finalmente falso, puesto que su gran novela sobre vampiros fue escrita por Polidori.

imaginaciones y así podemos llegar a pensar que el verdadero vampiro es *éste* y no otro. Ésta es la perturbadora y compleja manera en que empieza a conformar su imagen, a través de este equilibrio entre fantasía y realidad. No solo succiona la sangre sino también la energía psíquica que controla las funciones físicas y mentales. Lenta pero certeramente se convertirte en la proyección de nuestros deseos.

El vampiro del folclore, sacado de historias como las leídas, dibuja un ser que no se parece en nada al de ficción, ya que no es pálido sino que su cara es muchas veces descrita como rojiza, de un color saludable, hecho atribuido a su hábito de «beber» sangre. «Las extremidades se mantienen flexibles, el cuerpo no ha sufrido daños, está más bien hinchado, puede surgir sangre fresca de él, su tez es roja debido a la sangre bebida... sus ojos permanecen abiertos.» La presencia de sangre, y en especial en los labios, puede ser uno de los motivos por los que se asocia el vampirismo con la peste. En la variante neumónica de esta enfermedad, la persona infectada vomita sangre. La visión de sangre combinada con repentinas e inesperadas muertes puede llevar a creer que el vampirismo es la causa de la enfermedad.

Algunos relatos de testigos presénciales cuentan una peculiaridad de los dientes de los vampiros: «...los labios son gruesos y rojos y cuando se retiran dejan ver una brillante dentadura larga, afilada como cuchillas de color marfil». En Europa del Este también está muy extendida la creencia de que los niños con dientes al nacer están predestinados a ser vampiros. Pero a pesar de estas diferencias, entre ambas criaturas existe una semejanza: las dos usan los colmillos para extraer la sangre de sus víctimas.

Otra similitud en cuanto a su aspecto en la tumba sería que en ese momento los dos permanecen tranquilos, como si estuvieran en una especie de trance mientras aguardan su momento. En esas condiciones no son peligrosos, a menos que se les ataque. Dicho estado, más que ningún otro signo físico analizado en este libro, demuestra su origen no humano. La psicología de un vampiro es muy compleja y hasta ahora nos hemos dedicado sobre todo a su aspecto físico; sin embargo el vampiro posee unas características que van mucho más allá de los rasgos corporales observadas por los funcionarios. Algunas de sus facetas solo se pueden estudiar desde una relación mucho más íntima.

Lord Ruthven, en su carruaje, y en medio de la naturaleza más lujuriosa y salvaje, siempre era el mismo: sus ojos hablaban menos que sus labios. Y aunque Aubrey se hallaba tan cerca del objeto de su curiosidad, no obtenía mayor satisfacción de este hecho que la de la constante exaltación del vano deseo de desentrañar aquel misterio que su excitada imaginación empezaba a asumir que tenía las proporciones de algo sobrenatural.

Audrey observa que lord Ruthven «era muy liberal», aunque su naturaleza caritativa podía ser cuestionable porque entregaba riquezas a los holgazanes, vagabundos y mendigos, y daba la espalda con muecas desdeñosas a los virtuosos aunque hubiesen caído en el infortunio. Cuando alguien llamaba a su puerta "no para remediar sus necesidades, sino para hundirse en su lujuria o en las más tremendas iniquidades, lord Ruthven jamás le negaba su ayuda". Sin embargo su caridad era de naturaleza muy siniestra porque «todos aquellos a quienes ayudaba inevitablemente veían caer una maldición sobre ellos, pues eran llevados al cadalso o se hundían en la miseria más abyecta».

Lord Ruthven llevaba la misma desgracia a las mujeres: todas las que había buscado, aparentemente por su virtud, «se habían quitado la máscara desde su partida, y no sentían ya el menor escrúpulo en exponer toda la deformidad de sus vicios a la contemplación pública».

Lord Ruthven, el «vampiro», es un maestro de la manipulación psicológica. Se aprovecha de los deseos lujuriosos de los desdichados ofreciéndoles más, hasta que ya no tienen redención posible. En sus relaciones íntimas goza de la capacidad de transformar a la más virtuosa de las mujeres en la más desvergonzada. Pero, ¿quien podría resistirse a su poder? El vampiro de la historia de John Polidori se disfraza de forma clásica: un hombre culto, de buenos modales, muy sofisticado, de antiguo linaje (un lord ni más ni menos), con un vago pero interesante pasado y gran carisma al cual pocos pueden dejar de sentirse subyugados. Decía ser un individuo que no sentía simpatía por ningún otro ser de este poblado mundo, salvo quizá, por las personas a las que él mismo decidía dirigirse y de las que solo tenía la intención de obtener algún beneficio en lugar de ofrecer ayuda.

Este tipo de vampiro debe ser la peor y más astuta de las criaturas ya que usa como nadie el arte de la serpiente para ganarse el mayor de los afectos y la confianza de sus víctimas.

En la historia *El Extraño misterioso,* anónimo 1860, el vampiro se describe a sí mismo a un grupo de cinco hombres a caballo encabezados por el caballero de Flahnenberg. Dichos hombres habían estado cabalgando por los Cárpatos para ir a tomar posesión de un castillo y sus tierras que, el hermano del caballero, sin descendencia y antiguo dueño, había dejado en herencia al noble. Al anochecer, el bóreas, un temible viento del noreste, empezó a soplar y acabó por transformarse en una gran tormenta. Entre las ráfagas de viento, el grupo oía el aullido de los lobos. Un escudero que los guiaba hacia su destino les informó que en el límite del bosque que cruzaban había un lago donde habitaba una manada de feroces lobos. Se decía que incluso habían matado a los enormes osos de las montañas. Sus aullidos se oían cada vez más cerca y con mayor claridad, y pronto pudieron ver los ojos de las bestias brillando en la oscuridad de la noche. Intentaban luchar contra la terrible tormenta y por salir del bosque lo antes posible, pero como no lo lograban terminaron por buscar refugio en el castillo de Klatka, que se decía estaba encantado. De repente, justo cuando el caballero y sus compañeros estaban a punto de entrar en el castillo antes de ser devorados por los lobos, un extraño salió de la sombra de un roble y con unas pocas zancadas se interpuso entre las fieras y sus potenciales víctimas. En cuanto apareció aquella figura, los lobos renunciaron a su persecución, empezaron a tropezar unos con otros y a soltar temibles aullidos. El extraño levantó la mano, la agitó y las fieras volvieron a esconderse entre los matorrales con la cabeza gacha. Sin ni siquiera echar una mirada a los viajeros, demasiado sorprendidos para hablar, el desconocido tomó el camino del castillo y desapareció.

Una vez el caballero y sus compañeros se hubieron instalado en el castillo heredado, cabalgaron por la región para explorarla. Mientras lo hacían, aparecieron por casualidad en Klatka, donde reconocieron al extraño que los había salvado de los lobos y se lo agradecieron. El desconocido les contó que estos animales le tenían miedo. Para darle las gracias por lo que había hecho por ellos, el caballero le invitó a visitarles. Pero el extraño parecía reticente a ver a gente y respondió, «por otro lado, durante el día acostumbro a permanecer en casa, y así descanso. Pertenezco, debéis saber, al tipo de persona que transforma el día en la noche y la noche en día y que le gusta lo poco común, lo peculiar».

De todas formas, al cabo de unos días, se presentó en el castillo del caballero a la hora de cenar. En la claridad del iluminado comedor, todos le pudieron ver bien:

Era un hombre de unos cuarenta años, alto y sumamente delgado. No se podía decir que tuviese unos rasgos poco interesantes, había algo de osadía en ellos, pero su expresión no resultaba en absoluto afable. Sus ojos fríos y grises estaban llenos de desprecio y sarcasmo, y su mirada era a veces tan penetrante que nadie podía aguantarla mucho tiempo. La tez era todavía más peculiar que sus rasgos, entre pálida y amarillenta; grisácea, o por así decirlo, de un blanco sucio como la de un indio que ha tenido fiebre durante mucho tiempo, y resultaba todavía más sorprendente en contraste con la negrísima barba y el pelo muy corto. Su vestimenta era la de un caballero, pero anticuada y descuidada; grandes manchas de herrumbre cubrían el cuello y la pechera de su armadura, y su daga y espada, con una empuñadura muy trabajada, estaban enmohecidas.

Estas descripciones nos ofrecen una idea de las características no humanas del vampiro: un cierto distanciamiento tanto de los asuntos mundanos como de las personas; una voluntad endurecida le *obliga a burlarse de la vida y de todo lo bueno y virtuoso;* una mirada hipnótica; una manipulación de los sentimientos y de la mente, y un encantamiento de las víctimas que terminan por caer en el oscuro mundo del mal. Cuando un desconocido nos muestra este tipo de rasgo poco común, debemos alertar nuestra alma para evitar caer en la trampa del vampiro que lleva una sola dirección, hacia la muerte.

Capítulo Dos

El nacimiento de los no-muertos

Ahora analizaremos más de cerca cómo nace un vampiro. Según hemos podido averiguar en las páginas anteriores, estas criaturas, antes de sufrir su gran transformación, eran realmente seres humanos. Una vez muerto, el cuerpo del vampiro permanece activo de forma misteriosa y sigue funcionando durante años e incluso siglos si no se «mata» otra vez. Sabemos que sus víctimas se convierten asimismo en vampiros; que el vampirismo es contagioso y que incluso puede provocar epidemias, como hace la peste.

Pero ésta no es toda la historia. Quedan preguntas por contestar. Por ejemplo: ¿existen prerrogativas para los vampiros; es decir, reglas «no naturales» que dicten cuál es el tipo de víctima a escoger como futuros miembros de esta comunidad, o todos podemos terminar trasformándonos en uno de ellos? Si el vampiro chupa sangre de los humanos y puede llegar a morder a muchas personas en una sola noche, ¿todas y cada una de éstas se van a convertir en otro chupador de sangre, o no necesariamente, o existe un proceso de selección?

Las respuestas a estas peguntas son confusas ya que los vampiros son muy astutos y creativos, y no quieren ser descubiertos «en el acto» de clavar sus afilados caninos en la yugular de sus víctimas. En las pocas ocasiones en que testigos de primera mano han llegado a jurar su presencia en una confrontación entre el vampiro y su víctima, se ha puesto más énfasis en cómo matar al vampiro que en buscar las causas del hecho. Algunas veces no se puede asegurar si era el espíritu del muerto el que de noche aterrorizaba a la población y mataba a otras personas, o si era el cuerpo el que salía de la tumba, asesinaba y regresaba al ataúd antes del alba. En los casos analizados en el capítulo anterior, no se dice nada sobre el estado de los féretros, si habían sido abiertos o no, etc... En todo caso, como los testigos principales de los hechos están todos muertos, solo nos quedan pruebas circunstanciales.

El mejor relato sobre cómo nace un vampiro es la que ofrece Anne Rice en su libro *Entrevista con el vampiro*. El gran lujo de detalles satisface nuestra sed de respuestas y cuenta muy bien el proceso físico que sufre el cuerpo durante la transformación. La persona que experimenta esta metamorfosis deja de lado todas las leyes físicas que gobiernan el mundo humano ordinario y adopta otras que le permiten vivir fuera del tiempo y del deterioro.

En el libro, el vampiro Louis cuenta su rito iniciático a un joven periodista estadounidense actual. Le explica que se convirtió en vampiro en 1791 a los 25 años. Había ocurrido una gran tragedia en su familia de la que se sentía culpable, sentimiento que acabó por conducirle a perder la fe en la vida y en sí mismo.

> *Bebía continuamente y procuraba estar en casa lo menos posible. Vivía como un hombre que quería morir pero que no tenía coraje para suicidarse. No me presenté a dos duelos más por apatía que por cobardía y realmente deseaba que me matasen. Fue entonces cuando me atacó. Podría haber sido cualquiera; mi invitación estaba abierta a marineros, a ladrones, a locos, a cualquiera. Pero fue un vampiro.*

Dicha criatura chupa la sangre de Louis hasta casi matarle y vuelve al cabo de unas noches. El muchacho está tan confuso que toma al monstruoso ser por uno de los muchos médicos que lo visitan, pero tan pronto como le ve la cara a la luz de la lámpara, se da cuenta de que no está ante un hombre normal.

> *Sus ojos grises quemaban con incandescencia y sus largas manos blancas, que colgaban a cada lado del cuerpo, no eran las de un ser humano. En ese instante lo supe todo y lo que el vampiro me contó fueron solo las secuelas. Lo que quiero de-*

Craig Hall, en Perthshire, visto desde los tupidos bosques de más abajo, recuerda las escenas del *Drácula* de Bram Stoker, en el que el terrible conde tenía la intención de mudarse al Reino Unido. Es posible que hubiera escogido un castillo como éste para instalarse.

cir es que, en cuanto lo vi, pude notar su extraordinaria aura y supe que no era como cualquier otra criatura que había conocido; quedé reducido a la nada. Aquel ego que no podía aceptar la presencia de un ser humano extraordinario en su entorno quedó aplastado. Todos mis ideas sobre el mundo, mi sensación de culpa y mi deseo de morir dejaron de tener importancia. ¡Me olvidé totalmente de mi mismo! [...] ¡Me abandoné por completo! Y en aquel mismo instante comprendí el sentido de la posibilidad. Desde entonces solo tuve un creciente asombro. Mientras me contaba en qué me podía convertir, cómo había sido su vida y en qué se convertiría, mi pasado quedó reducido a cenizas.

En este relato se nos vuelve a contar que el primer paso hacia los dominios del vampiro es la fascinación hipnótica que produce la promesa de una vida

«Sus ojos grises quemaban con incandescencia y sus largas manos blancas, que colgaban a cada lado del cuerpo, no eran las de un ser humano», nos cuenta el personaje Louis en el excepcional libro *Entrevista con el vampiro*, de Anne Rice.

eterna fuera de los valores y los deberes humanos. La puerta a través de la cual el vampiro entra en la vida de su potencial víctima es en este caso el imperioso deseo de esta última de olvidarse de todo, de ir más allá de las preocupaciones, placeres y obligaciones mundanos. El vampiro se introduce en su vida para tomarla, aniquilarla y transformarla en algo sobrenatural, en una extraña existencia que corre paralela a la vida humana y sin embargo está irremediablemente separada de ella, ya que se alimenta de ella. Así, de cierta manera, el deseo de una vida eterna dotada de poderes sobrenaturales se convierte en el mayor pecado del ego y, en consecuencia, el vampirismo no es más que su castigo.

Cuando Louis, el vampiro, y Lestat, su iniciador, matan a su primera víctima, el primero entiende por qué el destino lo ha escogido para transformarlo en un ser sobrenatural.

> *Contemplaba mi transformación desde dos perspectivas distintas: la primera era simplemente el encantamiento. Lestat me había abrumado en mi lecho de muerte. Pero la otra perspectiva era mi deseo de autodestrucción, de ser condenado para siempre. Aquella era la puerta abierta por la que Lestat entró tanto en ambas ocasiones. Ahora no solo me destruía a mí mismo, sino también a otra persona.*

Louis, que continua teniendo algunos sentimientos humanos, desea morir ya que encuentra insoportable y abominable este nuevo tipo de existencia. Entonces, Lestat le ataca para completar el ritual de transformación de un humano en vampiro. Louis recuerda que el movimiento de sus labios le erizaba los pelos y le enviaba descargas de sensaciones por todo su ser; era algo no muy lejano al «placer pasional». Cuando Lestat chupa la sangre de Louis, éste se bloquea hasta quedar paralizado y algo extraordinario ocurre para completar el ritual: Lestat muerde su propia muñeca y se la acerca a Louis para que éste pruebe el placer de ser un vampiro por primera vez.

> *Sorbí la sangre de los agujeros y experimenté el placer de chupar un alimento por primera vez desde la infancia. Mi cuerpo y mi mente solo se centraron en la fuente de vida.*

Entonces, Louis oye un fuerte ruido que primero parece un rugido y luego se asemeja al latido de un enorme tambor; como si una inmensa criatura de un lóbrego y extraño bosque lo acechara. Al cabo de poco, vuelve a oír otro tambor y el sonido de ambos se vuelve progresivamente más alto hasta que parece llenar todo su cuerpo y sus sentidos. Su sien late al poderoso ritmo del sonido. Cuando Lestat por fin libera su brazo de la mordedura de Louis, éste se da cuenta de que en realidad los tambores son sus corazones y que el intercambio de sangres es como una penetración hasta lo más íntimo del otro. Tras esta extraordinaria experiencia, Louis traspasa el umbral entre el mundo humano y el sobrenatural y empieza a ver su alrededor a través de los ojos del misterio.

> *Miré el mundo como un vampiro […] Era como si viera los colores y las formas por primera vez. Estaba tan fascinado por los botones de la casaca negra de Lescat que los estuve observando con atención durante largo rato. Luego Lescat empezó a reír y su risa me pareció algo jamás oído. Seguía oyendo su corazón como el redoble de un tambor, mientras me llegaba su risa metálica. Me sentí confuso, ya que cada sonido chocaba con el siguiente, como si fuesen repiques de campanas, hasta que aprendí a distinguirlos, luego se superpusieron, cada sonido era apagado pero claro, unas carcajadas crecientes pero discontinuas.*

Éste es el primer relato de ficción donde se describe con gran lujo de detalles cómo ve y oye un vampiro tras su transformación. Según se nos cuenta, como el vampiro está muerto, también se encuentra fuera del marco temporal que gobierna las acciones, los pensamientos y los sentimientos humanos. Por esto es capaz de sentir, oír y notar cada acontecimiento y detalle como si fuera independiente del tiempo. En consecuencia puede percatarse de la singularidad de la realidad y disfrutarla con plenitud. Parecería como si al traspasar la cortina de la muerte, se intensificase la percepción de las cosas, lo que tendría sentido puesto que el vampiro tiene más de «animal» que de humano. En tanto que depredador, debe matar para sobrevivir y está obligado a poseer un agudo sentido del oído y de la vista para ver y escuchar todo lo que sucede a su alrededor y así lograr capturar a su presa. Además, como se ha convertido en un ser sobrenatural, posee poderes que van mucho más allá de las capacidades de las que gozan los humanos para sobrevivir.

Ya que solo estamos familiarizados con tres dimensiones (altura, anchura y profundidad) y no tenemos experiencia fuera de este marco, nos resulta muy difícil comprender el universo de los no-muertos. Los vampiros viven en un mundo de sombras en el que la materia no tiene sustancia ni importancia, donde el tiempo no existe, en el que la vida es eterna y en el que gobiernan poderes desconocidos que se mueven de formas que van más allá de nuestra capacidad de comprensión.

Pero volvamos a nuestra historia. Louis debe abandonar toda la basura humana que todavía conserva en su cuerpo y va al jardín para desprenderse de los últimos vestigios que le quedan.

> *Cuando vi la luna reflejada sobre las losas, me enamoré tanto de ella que debí pasar una hora ahí contemplándola [...] En lo referente a mi cuerpo, todavía no se había convertido del todo. Cuando el oído y la vista empezaron a acostumbrarse, comenzó a dolerme todo; mis fluidos humanos estaban siendo forzados a salir. Me estaba muriendo como humano, pero estaba completamente vivo como vampiro. Tuve que asistir a la muerte de mi cuerpo con mis nuevos sentidos totalmente despiertos. Al principio sentí cierto desasosiego y luego, al final, temor.*

El muerto viviente

No todas las víctimas de los vampiros se convierten en uno de ellos. Para poder vivir necesitan matar y chupar sangre, ya sea de animales o personas, ya que el aporte constante de sangre fresca previene que su cuerpo se pudra del todo. Pero cabe distinguir entre un *vampiro*, el cual ha superado el rito iniciático del vampirismo, y un muerto viviente o no-muerto, es decir el que retorna de la tumba; éste último ha sido atacado y desangrado por un vampiro, pero no se ha transformado. El muerto viviente muere por shock o por pérdida de sangre y es enterrado, pero su espíritu aparece a familiares, amigos y conciudadanos como un cuerpo en descomposición que acecha de noche a sus vícti-

El muerto viviente muere por shock o por pérdida de sangre y es enterrado, pero su espíritu aparece a familiares, amigos y conciudadanos como un cuerpo en descomposición que acecha de noche a sus víctimas.

mas. Ambos tipos de ser comparten el método de ataque: la mordedura, por lo general en el cuello o cerca del corazón. Un muerto viviente convierte a sus víctimas, ya sean animales o personas, en otros de su misma especie, y cuando esto ocurre suele aparecer una «epidemia de vampirismo», ya que todas las personas del pueblo terminaran por ser, de manera lenta pero inexorable, muertos vivientes. Para impedirlo, la gente que sigue viva debe exhumar los cadáveres que creen estar afectados y matarlos de nuevo. Un vampiro, sin embargo, tiene la opción de transformar o no a su víctima a través de un ritual iniciático que se describe con gran detalle en el libro de Anne Rice, *Entrevista con el vampiro.*

> *Nunca se sangra la víctima hasta su muerte, se la cuida, se la ayuda a desarrollar los sentidos de un vampiro hasta que todas sus percepciones gozan de alta sensibilidad, se la enseña a matar, a buscar un ataúd, a atravesar el mundo con uno sin levantar sospechas, a vivir como un gran señor o señora. El proceso de transformación de una víctima en un vampiro solo se puede definir en términos humanos como un "enamoramiento".*

Por lo tanto, un muerto viviente lleva una vida muy distinta a la de un vampiro. La sofisticación que adquiere este último en el proceso de transformación le permite frecuentar los círculos de la alta sociedad, y su destreza al matar sin ser visto lo ayuda a vivir durante siglos sin ser molestado. Un muerto viviente tiene una vida mucho más dura, ya que no goza de los mismos refinados métodos y mata abiertamente a cualquier persona o animal. Así, es más fácil que sea capturado y que se le vuelva a matar que a un vampiro. El aspecto de ambos es también distinto. Como el vampiro ha sido transformado, se ha parado el proceso de putrefacción y parece estar intacto por muy pálido y viejo que se vea. Cuando se mata a un vampiro y se atraviesa su corazón con una estaca, el cuerpo vuelve al estado normal de descomposición. Un muerto viviente, sin embargo, no puede impedir el deterioro del cuerpo tras la muerte y por tanto crea mucha mayor repugnancia.

Traspasar las puertas de la muerte

Lasciate ogni speranza, voi, ch'entrate!
(Dante, *Infierno*)
(«¡Oh vosotros los que aquí entráis, abandonad toda esperanza!»)

Desgraciadamente, para proseguir con la búsqueda de pruebas precisas en los difuntos, debemos abordar un aspecto poco placentero del vampirismo: el de la muerte clínica de un cuerpo humano. ¿A qué nos referimos exactamente cuando hablamos de muerte humana?

Si alguna vez tenemos la oportunidad de tratar un cadáver normal y el de un vampiro, observaremos que la respuesta es muy distinta.

Para ilustrar esta afirmación algo truculenta, debemos empezar por analizar los cambios físicos del cuerpo tras la muerte. Quisiera disculparme por el contenido tan gráfico y desagradable de esta parte del libro, pero debemos admitir que, si deseamos ahondar en la naturaleza del vampirismo, por mucho que la vistamos de glamour y elegancia, ésta solo tiene vínculos con un rasgo de la vida, la muerte.

Después de la muerte, la sangre gravita hacia los capilares de zonas de declive del organismo y le confiere a la piel de esas áreas un color entre violáceo y rosáceo llamado «hipóstasis». Si el cuerpo se coloca en posición supina, la espalda se decolora ya que este fenómeno no aparece en las zonas sobre las que descansa el cadáver. Es decir, en este caso, en la parte posterior de los hombros, las nalgas y las pantorrillas. El cuerpo pesa lo suficiente como para cerrar los capilares de estas zonas e impedir que se llenen de sangre.

Si el cuerpo ha descansado boca abajo, la hipóstasis o lividez afecta la parte delantera del cuerpo y si ha estado suspendido, ésta aparece en la parte inferior de las extremidades.

El proceso comienza a manifestarse más o menos a la media hora de la muerte y no termina hasta unas siete horas después. Durante este tiempo, se puede cambiar la distribución de las manchas si se altera la posición del cadáver, pero luego la lividez es por lo general permanente porque la sangre se ha coagulado. Aunque al principio las manchas sean rosáceas, éstas se oscurecen con rapidez. Cuando ha terminado la hipóstasis, son de color violeta oscuro debido a que la sangre ya no está oxigenada.

Si cuando se ha acabado el oxígeno de la sangre, ésta se vuelve más oscura, cabría pensar que se oscurece todo el cadáver, pero como ya no hay circulación, el líquido de las venas se acumula en las zonas más bajas del cuerpo por la gravedad. Si el difunto se encuentra en posición supina, su cara puede volverse pálida por falta de sangre (una descripción muy popular del aspecto de un vampiro).

Asimismo, también se producen otros cambios en el color del cadáver porque empiezan a atacarle bacterias que lo infectan. Si, por ejemplo, el proceso de putrefacción es rápido, como por ejemplo en el caso de la muerte por infección séptica, las venas de debajo de la piel se hinchan y se vuelven como una red de color marrón azulado. Los cambios de coloración de la piel también suceden durante el proceso llamado saponificación que preserva el cuerpo: la epidermis desaparece presumiblemente porque se descompone y muda, y la dermis oscurece, en particular la de las personas enterradas en ataúdes. En ocasiones también adquiere tonos marrones y negros.

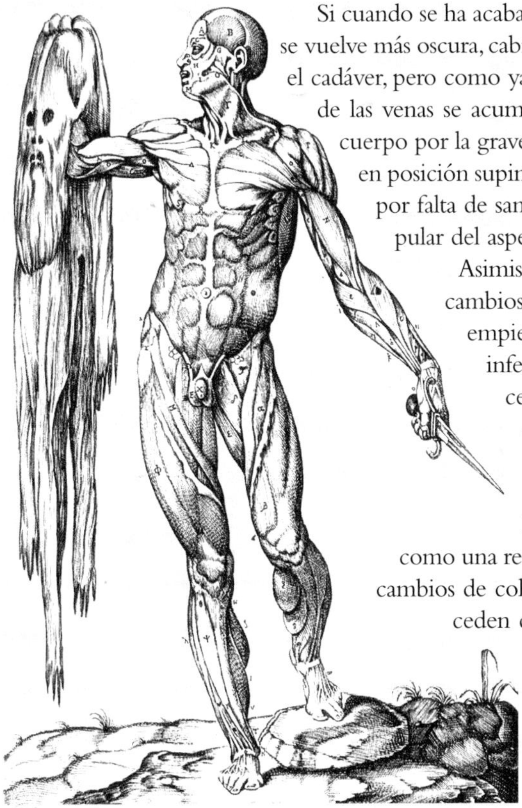

Técnicas forenses recientes han revelado que uno de los fenómenos más espantosos ligados al vampirismo puede tener una razón científica o más bien biológica.

Técnicas forenses recientes han revelado que uno de los fenómenos más espantosos ligados al vampirismo puede tener una razón científica o más bien biológica. Durante cientos de años, sepultureros, exhumadores y trabajadores de las morgues y hospitales han contado casos de cadáveres que se levantaban de repente tras permanecer muertos durante un tiempo. El cuerpo se alzaba con elegancia, sin precipitarse, ¡hasta sentarse! Como es de suponer, estos sucesos han provocado gran temor a lo largo de la historia. Incluso existen informes que recogen muertes por conmoción o ataques al corazón por vivir una experiencia semejante.

Hasta hace poco, estos fenómenos se atribuían a actividades sobrenaturales, y por supuesto el vampirismo era la respuesta popular a ellos, especialmente porque en cierto número de casos los cuerpos parecían resbalar hasta caer de la mesa antes de volver a colapsar.

Tras la muerte, ciertos fluidos y elementos químicos continúan funcionando en la tráquea y la garganta, ya que el cuerpo se prepara para la descomposición. Cuando los demás ya se han secado, algunos de dichos líquidos se contraen y los órganos, en consecuencia, también lo hacen. Se produce una especie de «baile» en el que se reducen los músculos y el tejido del estómago y los intestinos. Así, el cuerpo tiende a arquearse y a levantarse hasta quedarse sentado.

Si se ha instalado el rigor mortis en los brazos y éstos estaban cruzados sobre los muslos, una postura muy común, el movimiento del tronco hacia arriba haría que se levantaran como lo hacen en una película de terror.

Para hacer más corta una larga y desagradable historia, podemos resumir el resto de los procesos de deterioro del cuerpo de la siguiente manera:

La lista proviene de la disertación de Glaister y Rentoul donde se detallan los signos externos de descomposición.

- Coloración verdosa de la fosa ilíaca derecha (depresión de la zona inferior del intestino delgado).
- Extensión de la pigmentación verdosa por todo el abdomen.
- Hinchamiento y decoloración del escroto o la vulva.
- Distensión del abdomen por los gases contenidos.

- Coloración marronosa de la superficie de las venas que otorga a la piel un aspecto arborescente.
- Aparición de llagas de diferentes tamaños en la superficie del cadáver.
- Explosión de las llagas y desaparición de la epidermis en extensas zonas que quedan al desnudo.
- Derrame de fluidos sanguinolentos por la nariz y la boca.
- Licuación de los globos oculares.
- Creciente decoloración del cuerpo en general y progresiva distensión abdominal.
- Aparición de gusanos.
- Caída de uñas y pérdida de pelo.
- Rasgos faciales irreconocibles.
- Conversión de los tejidos en una masa semilíquida.
- Explosión de la cavidad abdominal y torácica al abrirse.
- Progresiva disolución del cuerpo.

La presencia de aire, humedad, microorganismos, temperatura moderada e insectos ayuda a la descomposición. Sin embargo, el cadáver también puede preservarse y tiene muchas maneras de hacerlo, una de las cuales es que se sepulte, de manera intencionada o no, en tierra de tipo calizo. El deterioro se retrasa y los tejidos no se ponen rígidos. Si se pusiera un palo en la mano de un cuerpo enterrado en estas condiciones, no sería raro que quedase agarrado a él y pareciese como si no lo quisiera soltar. Esto se debe a que una mano deshidratada permanece en la posición en que se deja. Ejemplos como éstos pueden haber asustado a los sepultureros y haberles llevado

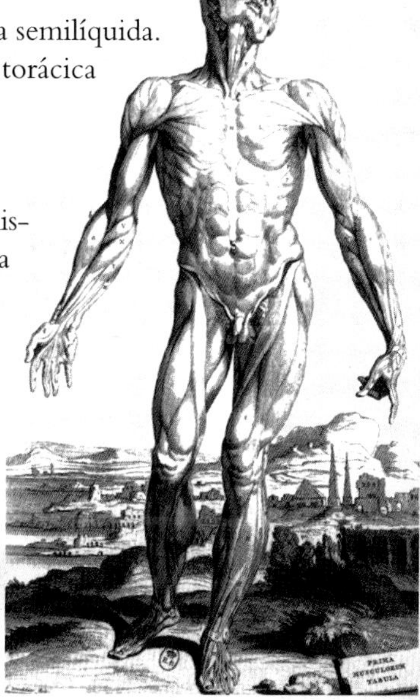

Coloración marronosa de la superficie de las venas que otorga a la piel un aspecto arborescente.

a creer que estaban ante el cuerpo de un vampiro que debían volver a «matar». Cuando un cadáver que no se descompone capta la atención de la población es normal que se arme un considerable revuelo. Sin embargo, las repuestas dadas por el pueblo y la Iglesia a este fenómeno son totalmente destinas. Si el primero lo atribuía a que el cadáver había sido reanimado por un poder sobrenatural procedente de las tinieblas, la segunda creía que un santo habitaba el cuerpo y por tanto éste era inmune al deterioro físico. Si se llegaba a la conclusión de que el cuerpo era realmente el de un vampiro, no cabía duda, había que clavarle una estaca en el corazón.

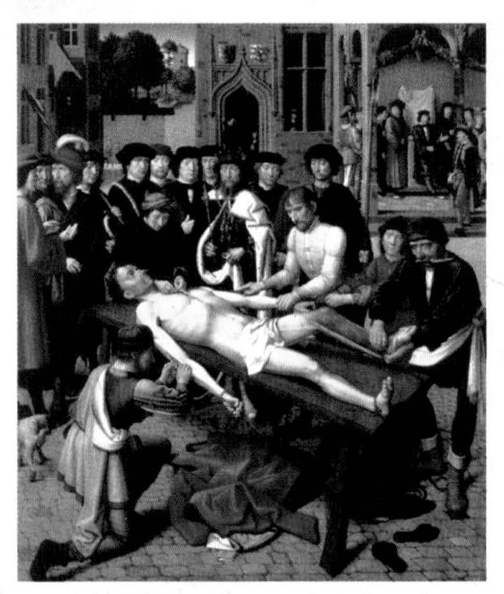

Los gitanos serbios aseguraban que si un cadáver mostraba síntomas de hinchazón antes de ser enterrado seguramente se convertiría en vampiro.

Sin embargo, si recordamos los casos exhumados por funcionarios alemanes a los que se hacía referencia en el primer capítulo, podemos observar inconsistencias. Los informes recogen que ciertos cuerpos no muestran señales de descomposición, pero si aplicamos a los cadáveres los parámetros médicos señalados arriba, podemos afirmar con seguridad que estaban en proceso de putrefacción. En algunos casos se señala que les había caído la piel y les crecía otra. Podría referirse a que la epidermis se hubiese pelado y la «nueva piel» no fuese otra cosa que la dermis. Según Glaister y Rentoul, esto sería una clara señal de descomposición. Esta parte interior no es otra piel, sino que se parece a la carne cruda y es de un color rojo más intenso que la epidermis que nos recubre en vida.

En Grecia, por ejemplo, la hinchazón del cuerpo se consideraba un signo «inequívoco» de la existencia de un *Vrykolakas* (vampiro). Los gitanos serbios estaban convencidos de que si un cadáver mostraba síntomas de hinchazón antes de ser enterrado seguramente se convertiría en vampiro. La mente del pueblo transforma este estado en indicativo de vampirismo. Pero los médicos señalan que los gases de los intestinos hinchan el cuerpo considerablemente tras la muerte. Los microorganismos encargados de descomponer la carne producen grandes cantidades de gases, sobre todo metano, y como no tienen una vía de salida permanecen en las cavidades y tejidos. Esto también explicaría las señales de «lujuria», es decir, las erecciones que parecen presentar los vampiros en las tumbas.

Los médicos también explican la expulsión de sangre o fluidos sanguinolentos por la nariz o la boca como una señal de descomposición o putrefacción del cuerpo. La sangre se coagula tras la muerte, pero según como haya ocurrido ésta puede ser que vuelva a licuarse o permanezca en estado sólido. Ésta podría ser la razón de que el corazón de un vampiro «sangre» cuando es atravesado por una estaca. En la época se debía considerar que tras la muerte siempre permanece coagulada, y por tanto, si volvía al estado líquido, era una señal incontestable de vampirismo.

Estas inconsistencias nos dan una clave importante para entender cómo se produjo el mito que, como afirma Montague Summers el gran experto en vampiros y en lo oculto, persigue desde hace tiempo una parte primordial de nuestra mente: «el vampiro tiene un cuerpo, que es el suyo propio. No está ni vivo ni muerto, sino que vive en la muerte...». Los signos exteriores de descomposición de su cuerpo son una prueba de que están muertos. Sin embargo, su espíritu permanece vivo ya que visita y mata a gente de noche.

Este descubrimiento nos ayuda a explicar otra creencia popular sobre el tema, en concreto que los futuros vampiros quedan condenados cuando están vivos, ya que se muestran cansados de vivir y solo desean la muerte. En algunas ocasiones, los no-muertos han sido víctimas de infortunios: asesinatos, rayos, ahogamientos o suicidios. Estas formas de acabar con la vida señalan más a los individuos como posibles futuros vampiros que los que terminan sus días en cama. Pero, también es posible que estos desdichados tarden un tiempo en ser descubiertos, el suficiente como para convertirse en monstruos, hayan aumentado de tamaño, cambiado de color o mudado la piel. Si se tiene en cuenta que estos sucesos ocurrían sobre todo en áreas rurales, donde las comunidades mantenían estrechos vínculos entre sí y se defendían de cualquier

«mal» que proviniese de los amenazantes bosques de los alrededores, es fácil entender que algo poco normal como la muerte de alguien fuera de los límites del pueblo hubiese despertado el temor y la imaginación más fantástica. El simple hecho de que fuese una muerte violenta y bajo circunstancias poco corrientes era suficiente para que fuese considerada como una «señal». Estas personas eran castigadas por sus pecados en vida. Los cambios en el cuerpo tras la muerte sin duda deberían haber sido vistos como repugnantes y en consecuencia tomados como confirmación de que estos seres *habían perdido su forma humana* y se habían transformado en otra cosa... un vampiro.

El terror compulsivo, o incluso el pavor histérico hacia los vampiros, puede correr paralelo a las causas del infortunio. No existen límites en una mente aterrorizada para sopesar qué comportamientos de un cadáver debe considerar sospechosos. Los gitanos, por ejemplo, consideran que «si trascurrido un tiempo tras la muerte un cuerpo se mantiene incorrupto, exactamente igual a como fue enterrado, o si se ha hinchado o ennegrecido, y en consecuencia se ha producido un terrible cambio en su aspecto, quedan confirmadas las sospechas de vampirismo». Si se lee el texto con atención no existe posible escapatoria: si el cuerpo permanece en su estado original, es el de un vampiro; mientras que si cambia, también lo es. El temor del pueblo a estos seres era tan grande en Europa del Este que la comunidad de vivos consideraba que la mejor manera de reconocer a uno de ellos era hacer una lista de las posibles anomalías de un cadáver. Tanto si se descomponía como si no, las dos únicas opciones de un cuerpo muerto, terminaba por ser declarado vampiro. Un terror tan mayúsculo escapa a cualquier lógica que podamos usar para intentar establecer el parámetro usado para detectarlo.

Aunque admitamos que antiguamente había frecuentes «identificaciones erróneas», ahora podemos concluir, basándonos en las pruebas antes citadas, que el cuerpo de un vampiro está de hecho muerto de la manera en la cual el vampiro Louis se lo explica al joven periodista en el libro de Anne Rice, *Entrevista con el vampiro*.

Carol Borland y Bela Lugosi en el film *La marca del vampiro* (Tod Browning, 1935), evocando el estilo barroco creado por John Polidori un centenar de años antes.

Por otro lado, cualquier cadáver muestra signos «incontestables» de vampirismo, y en particular, los que no se han descubierto hasta que la putrefacción está bien avanzada.

Es difícil que nos decantemos por la existencia de vampirismo o no en un cuerpo si nos centramos en analizar las leyendas basadas en informes antiguos, y la historia todavía se complica más si tenemos en cuenta que la probabilidad de que se hayan cometido errores es alta, dada la falta de conocimientos médicos en la época en que fueron escritos. Ya hemos analizado los dos lados de la moneda, el místico y el científico, por tanto, ¿cuál es la diferencia entre el cadáver de un vampiro y el de un ser humano?

Se levantaba la sospecha de que existía un vampiro simplemente porque su «trabajo» se producía de noche. Si además otra gente se moría de forma rápida y por razones desconocidas, era razonable asumir que *alguien* las estaba matando. Si nadie más moría ni había otras causas de angustia, por muy monstruoso que fuese su apariencia, posiblemente no fuese desenterrado.

Para llevar la investigación un poco más allá, y contestar a la pregunta sobre cómo vive un vampiro más allá de la muerte, debemos dejar de lado el mundo físico de los muertos, tema que ya hemos agotado, y entrar en el velado universo que existe más allá de la tumba.

Lo sobrenatural

Muchas teorías intentan explicar la existencia de los vampiros, pero son tan curiosas como los ilógicos signos físicos que acabamos de analizar. Además, solo se han quedado como eso, elucubraciones que parecen plausibles hasta que se estudian con más profundidad, ya que si aplicamos las pruebas de que disponemos, todas fallan de forma irremediable por una razón u otra.

Según una de las teorías más difundidas, los vampiros no estaban muertos sino en estado de coma y cuando «volvían a vivir» tras ser descubiertos, asustaban tanto a la gente que los mataban de verdad. Pero, como hemos visto, todos los vampiros están en descomposición como corresponde a un cuerpo totalmente muerto. Algunos de ellos permanecían meses, años o incluso siglos en la tumba y es poco probable que estuviesen en coma crónico durante tanto tiempo. Según otra explicación más moderna de Karl Meuli, «nuestra mente no está preparada para considerar que no existamos». Pero, el campesino aterrorizado por la epidemia de vampiros no presenciaba su propia muerte, sino la de otros. Meuli soluciona esta contradicción diciendo que tampoco podemos admitir el concepto de fallecimiento de los demás.

Debemos pues buscar la respuesta en otra parte, en un lugar que ya no es humano.

Diversos informes de testigos señalen que de hecho no se puede coger a un vampiro cuando deambula por ahí, porque se trata solo de su espíritu. La única manera de matarlo es en su tumba, cuando están juntas sus dos partes.

Se cree que nacen con dos espíritus, uno de los cuales se dedica a destruir la humanidad. Como en el pasado se pensaba que residían en el corazón, manifestaban que, para matar el espíritu malvado, debían atravesar dicho órgano con una estaca, arrancarlo, quemarlo y lanzar las cenizas a un río que fluyera. También se decía que se podía saber que un vampiro tiene dos espíritus porque a menudo habla consigo mismo.

Los ocultistas certifican que existen suficientes pruebas como para afirmar que los espíritus que no encuentran descanso tras la muerte, vuelven para vivir en el cuerpo de un humano y que para ello aniquilan el espíritu del indi-

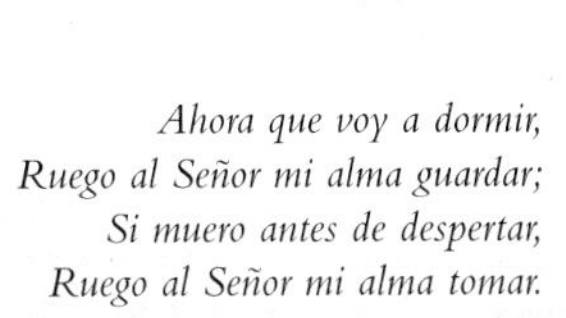
Ahora que voy a dormir,
Ruego al Señor mi alma guardar;
Si muero antes de despertar,
Ruego al Señor mi alma tomar.

viduo escogido y se apoderan de su cuerpo. Buscan venganza, por haber muerto prematuramente y no quieren abandonar la vida en la Tierra o desean completar una tarea, a menudo de carácter malvado, que emprendieron en vida y no pudieron concluir.

Según el mundo del ocultismo, los espíritus no solo viajan y se apoderan del cuerpo que desean, sino que adoptan varias formas. Es decir, pueden volverse invisibles, o adquirir una forma incorpórea, similar a la del cuerpo que habitan. Pueden ser un suspiro, una sombra, una luz o una antorcha (las velas de cumpleaños son un recuerdo de esta creencia). Asimismo, pueden ser una paloma blanca o incluso una abeja. Si el espíritu pertenece a una persona malvada, puede convertirse en un perrito negro.

Las culturas primitivas creen que ambas partes del ser no están sólidamente ligadas por lo que cuando alguien muere, o incluso cuando duerme, el espíritu abandona el cuerpo. Atribuyen a este fenómeno los cambios físicos durante el sueño, por ejemplo ralentización del pulso y la respiración. Entre las numerosas razones aducidas para considerar que el cuerpo continúa viviendo tras la muerte destacan que su imagen o espíritu aparece en los sueños de los vivos. Es imprudente despertar a alguien de repente, puesto que puede estar soñando y si el espíritu no tuviera tiempo de regresar al cuerpo, la persona en cuestión moriría. En los informes analizados con anterioridad, pudimos observar que muchos vampiros visitaban a sus víctimas mientras dormían. Los sueños en los cuales se estrangulaba o se chupaba sangre eran en realidad visitas de «muertos vivientes».

Ahora que voy a dormir,
Ruego al Señor mi alma guardar;
Si muero antes de despertar,
Ruego al Señor mi alma tomar.

Los niños anglosajones han aprendido esta oración durante siglos, cuyo sentido original, que se puede reseguir hasta el siglo XII, está sin duda ligado al miedo a que el alma fuera robada por el maligno.

Imágenes en los espejos

Como el alma viaja, puede quedar atrapada fuera del cuerpo bajo numerosas circunstancias. La creencia de que romper un espejo trae mala suerte está basada en la idea de que éste contiene su espíritu en forma de reflejo. En algunas partes de Europa sigue viva la tradición de girar los espejos hacia la pared cuando se muere un miembro de la familia. Así se impide que se refleje el espíritu y vuelva para reanimar el cuerpo. Si un vampiro se coloca ante un espejo, no se ve reflejado porque su espíritu está vagando y nunca regresa al cuerpo. Por tanto, no nos reflejamos por nuestra presencia física sino por la etérea.

En zonas del centro y el este de Europa se considera importante vaciar todos los recipientes con agua estancada tras una muerte, para que no sirva de espejo y refleje la imagen del alma. En Rumania, de noche, se cubren todos los receptáculos de agua para evitar que un espíritu camine dormido, caiga dentro del agua y se ahogue. En Macedonia se toma la opción opuesta y se deja un recipiente lleno al lado de la tumba por si ésta contiene un mal espíritu. Así, si éste decide abandonarla para ir a molestar a los vivos, se hunde en ella. En el folclore europeo encontramos la costumbre de echar agua entre la sepultura y la localidad donde residía el muerto, para interponer una barrera entre los vivos y los muertos, y prevenir que el espíritu regrese a la vida. Todas estas costumbres están ligadas de una manera u otra a la creencia de que los vampiros y el agua no combinan bien. Si uno de ellos la cruza, el espíritu maligno queda atrapado en ella.

Debemos recordar que muchas de estas convicciones se desarrollaron en la Europa pre-industrial donde los espejos no solo eran escasos, sino de mala calidad y que las imágenes quedaban distorsionadas al igual que en el agua.

De la misma forma en que se cubren los espejos cuando hay una muerte o se usa el agua para impedir el regreso de los espíritus, también se asegura que los ojos reflejan las imágenes y por tanto capturan almas extraviadas. En consecuencia, es muy importante evitar la mirada de un muerto ya que la muerte queda reflejada en sus ojos y por tanto en los de la persona que lo mira, atrayéndola hacia una defunción segura. Éste es el origen de la mirada hipnótica del vampiro. Como la muerte se encuentra en ella, la víctima queda hipnotizada y es invitada al mundo de los vampiros. Es decir, el vampiro mata literalmente a su víctima con su mirada. Cuando alguien muere siempre se le cierra los ojos. Según la interpretación moderna, este ritual se realiza para que pueda descansar en paz, pero originalmente se hacía para evitar el reflejo de la muerte entre los vivos.

Muchas culturas creen que «el otro mundo» es literalmente la imagen reflejada del de aquí. Es decir que, comparado con el nuestro, todo está al revés y que al hacer los movimientos contrarios a los normales se llega a él. De hecho, quienes adoran al demonio leen las oraciones a Dios al revés en sus misas negras.

Lo bueno aquí es malo allá. La materia corresponde a las sombras, la vida a la muerte, lo alto a lo bajo, y así todo lo demás. Las almas del «otro mundo» quieren regresar para tomar el cuerpo de una persona muerta y así poder seguir viviendo.

A menudo, el espíritu abandona el cuerpo en el momento de morir, pero decide volver para reanimarlo y así crear un vampiro. Por esta primitiva razón, los vivos intentan asegurarse de que el espíritu abandone el cuerpo: se abren puertas y ventanas, se limpia la casa y se deja la suciedad fuera para asegurarse de que el espíritu no se esconde en ningún rincón.

Prácticas ocultas

Si examinamos las prácticas funerarias con atención, observaremos que los ritos ligados a la transición e incorporación de los difuntos al mundo de los muertos no solo son complejos sino que esconden significados que muchas veces hemos olvidado, o para las cuales hemos encontrado una explicación alternativa más racional. Estos rituales se han ido desarrollando durante siglos para asegurar que el espíritu completa su camino hacia «el otro lado» y así puede descansar para siempre y no vuelve para llevarse consigo otras vidas.

Un ángel caído aparece al lado de una tumba. En épocas en que a algunos cadáveres se les echaba la tierra encima sin demasiadas ceremonias, un vampiro hambriento podía usar como último recurso un cementerio con sangre fresca sin coagular de cadáveres recién enterrados.

Por ejemplo, podemos analizar la costumbre del luto desde otro punto de vista. Si normalmente se considera una expresión de dolor y un símbolo de respeto hacia el fallecido, muchas culturas lo ven como una necesidad y no una simple cortesía. La duración del luto corresponde al período que se cree que el cadáver está en peligro y se teme que vuelva su espíritu.

En el sur de Italia y España, las mujeres suelen llevar luto durante diez años por padres y maridos, y cinco por hermanos e hijos. A menudo se contrata a profesionales para el duelo. Algunas mujeres cambian de aspecto: se cortan el pelo, se visten de negro y no se maquillan durante todo ese tiempo. Al principio este cambio se realizaba para que el difunto, si volvía, no recono-

En la tumba, la estela mortuoria se colocaba sobre la cabeza del cadáver, de forma que si un espíritu ocupaba el cuerpo, éste no pudiera sentarse. Los únicos a los que no se enterraba con todas las formalidades eran los criminales, los alcohólicos y los grandes pecadores, justo los que uno tendería a pensar que fuesen ocupados por espíritus en busca de un cuerpo. Allí donde no había una lápida, un vampiro podía volver a vivir. Allí donde había laxitud moral, su vida podía ser eterna.

ciesen a las personas más allegadas que había dejado atrás, sus primeras víctimas potenciales.

Estas creencias y prácticas tan extendidas son otro testimonio de la idea de que el espíritu y el cuerpo están de verdad muy separados. Un vampiro puede tener dos espíritus: uno malvado que expulsa a otro que reside de forma natural en el cuerpo de un vivo; y el otro que abandona un cuerpo, invade un cadáver en putrefacción, toma posesión de él, lo reanima y vive en él mientras encuentra víctimas de las que alimentarse.

Las leyendas ofrecen maravillosas condiciones para investigar las razones por las que nace un vampiro, en qué entornos se encuentra, las causas de que aparezca y las circunstancias de su nacimiento.

Proclives a ser vampiros

Aquellos que son diferentes a los demás, los más impopulares o los mayores pecadores son los que tienen mayores probabilidades de quedar atrapados por el poder de vampiros o de regresar después de morir. En Europa del Este consideran a los alcohólicos como los mayores candidatos al vampirismo, y en Rusia se exhumaba un cadáver por el simple hecho de que en vida había sido un alcohólico.

Las personas que cometen suicidio son siempre firmes candidatas a regresar del mundo de los muertos y matar a los vivos. En el pasado no se autorizaba su entierro en el cementerio y hoy en día todavía se considera un delito.

En algunos países se cree que los cristianos que se convierten al Islam, los capellanes que dicen misa en pecado mortal o los niños cuyos padrinos se equivocan cuando recitan el credo en el momento del bautizo se vuelven en vampiros.

En general, las brujas, hechiceros, impíos, malhechores, hombres lobo, ladrones, pirómanos, prostitutas, camareras embusteras y traidoras, y todo tipo de persona diferente y poco honorable tienen grandes posibilidades de volver del mundo de los muertos bajo el aspecto de un vampiro.

Destinados a ser vampiros

Hay personas que se convierten en vampiros sin tener culpa alguna. Entre ellos se encuentran los que fueron concebidos durante un período sagrado según el calendario eclesiástico y los hijos ilegítimos de padres ilegítimos.

También se puede reconocer a potenciales vampiros al nacer, normalmente porque presentan alguna anormalidad física, por ejemplo cuando nace un niño con dientes, con un tercer pezón, con una nariz sin cartílago (recuérdese el caso recogido en uno de los informes en el que al cadáver se le había caído la nariz), con el labio inferior partido, o con rasgos que podrían calificarse de animales, como por ejemplo tener mucho pelo en el pecho o en la espalda, tener la espina dorsal en forma de cola, sobre todo si es peluda. En algunas zonas de Europa, si un niño nace con el líquido amniótico rojo también se considera que está predestinado a convertirse en vampiro, ya que este líquido es normalmente blanco. Si es rojo se debe secar, guardar y mezclar con la comida del niño tras cierto tiempo para evitar el vampirismo.

Curiosamente, muchos de los puntos comentados en estas dos secciones recuerden las creencias orientales en el karma. Particularmente en la India, un individuo que comete delitos o fechorías puede perjudicar la calidad de la siguiente vida. Un alcohólico o un delincuente se ven obligados a hacer frente a sus malos hábitos en la próxima vida. También tiene una base similar la tradición según la cual un alma puede volver una segunda vez en forma de vampiro, lo que constituye el peor de los castigos.

Obligados a ser vampiros

Un vampiro no siempre chupa la sangre del cuello de su víctima, también puede atacar el tórax, el pecho izquierdo, la zona del corazón o el pezón izquierdo.

En China y en muchos países eslavos se cree que el cuerpo de una persona muerta puede convertirse en vampiro si un animal como un perro o un gato, o cualquier ser animado, incluso una persona, salta por encima de él. Y si un murciélago sobrevuela el cadáver no hay posible escapatoria.

Si se roba la sombra de un individuo, la mutación se va a producir sin lugar a dudas. Según la leyenda más difundida, su robo suele producirse cerca de edificios donde la sombra se proyecta sobre una pared y el vampiro le clava un clavo en la cabeza para asegurarla allí.

Si no se puede enterrar a un muerto, porque la Madre Tierra no lo acepta, como ocurre con los malhechores, porque ésta no los quiere o porque las autoridades no lo permiten, es probable que el desdichado se transforme en vampiro.

La perdición de un vampiro

Por supuesto, existen muchos errores que pueden conducir al nacimiento de un vampiro. No es sorprendente que una de ellos sea la falta de cuidado en el cumplimiento de los ritos funerarios.

Se considera peligroso no atender el cadáver en todo momento. Si el cuerpo se entierra sin recibir las atenciones de un cura, es probable que vuelva. Pero, si no es enterrado, seguro que el difunto volverá como chupador de sangre.

Capítulo Tres

Costumbres de los vampiros

Hacia la inmortalidad

Tradicionalmente, el vampiro ha llevado una vida tranquila, sin complicaciones, retirada de los demás. Una vez ha completado su proceso de transformación y ha vivido algunos años sin grandes lujos mientras acaba de perfeccionar su técnica, suele adquirir un castillo o una gran mansión en una zona retirada donde poder esconder sus ataúdes y en el cual sus víctimas no llamen la atención. Asimismo, debe poner mucho cuidado en que las personas que viven en los alrededores no se den cuenta de quién es en realidad. Al menos en el pasado, y en particular en las zonas más apartadas de Europa del Este, un aristócrata era mejor elección que un plebeyo.

En general, tiene una relación parasitaria con los residentes de la zona, ya que a veces necesita carne humana de los alrededores para su uso, disfrute y supervivencia. Éste es un aspecto potencialmente peligroso para su reputación local, porque, a pesar de que no desea que se le considere un tragón y por tanto un ser peligroso para el mantenimiento del volumen de la población local, pretende crear una constante aura de misterio entre sus vecinos, manteniéndolos así en un estado de congoja por su seguridad. Esto le permite alimentarse de vez en cuando de alguna virgen, jovencito u otro jugoso bocado. En muchas zonas de Europa del Este, cuando un forastero pronuncia el nombre de determinados castillos, puede crear temor entre los vecinos, aunque es poco probable que llegue a producirse una acción coordinada de la población local dada la apatía general, una actitud que según algunas malas lenguas se debe a la hipnotizadora nube lanzada por el aristócrata vampiro.

Peligros intrínsecos

El estilo de vida de un vampiro podría describirse como la de un asceta. Como se ha visto, vive en los límites de la sociedad y mantiene un perfil bajo para preservar su aura de misterio. En consecuencia, tiene poco contacto con otros de su especie, excepto los que tiene atrapados para disfrutar.

A menudo es un intelectual. Después de todo, su extremadamente larga vida le permite tener un conocimiento considerable del mundo que lo rodea, de la cultura, de la literatura, el arte e incluso de la música, aunque sin duda sus gustos en estos campos son poco claros. Quizá cuelguen más Giottos que Miguel Ángeles de sus paredes.

Se mantiene durante cientos o incluso miles de años en el ecosistema local procurando mantener el equilibrio entre la necesidad de sangre fresca y sus suministros locales. A menudo es un gran experto en el patrimonio del lugar y en las disputas y muertes misteriosas, ya que probablemente es él mismo quien las haya perpetrado. Su detallado conocimiento de los hechos dejará estupefactos a sus visitas, porque desde luego disfruta imitando el ego humano y probablemente destaca en la mayoría de habilidades humanas.

Sin embargo, debe enfrentarse a algunos problemas si quiere vivir como una persona y no escondido en bosques y lugares desiertos. Para empezar, nunca come ni puede aparecer en público durante el día. Criados que han

Las fuerzas ocultas del mal toman diversidad de formas, pero todas ellas nacen del miedo a la muerte o a la condenación. En ese sentido, el vampirismo y la brujería fueron siempre de la mano en la Europa medieval.

sospechado que sus amos mantenían prácticas vampíricas, han contado lo que han visto a través de la cerradura: cenas con platos vacíos, brindis con copas vacías o uso de cubiertos impolutos arañando platos.

Asimismo debe fingir tener innumerables enfermedades e indisposiciones que le impidan ver a personas durante el día. Uno podría preguntarse para qué guardar las apariencias si está cargado de riquezas y goza de vida eterna. Pero el vampiro es a menudo un chivo expiatorio de cualquier fenómeno inexplicable de otra manera. No solo se le atribuyen muertes en circunstancias misteriosas, sino inundaciones, hambrunas, cosechas malogradas o cualquier otra alteración de la vida normal. Los siguientes versos extraídos del folclore de Galitzia dan testimonio del omnipotente poder de los vampiros:

El poder del vampiro es enorme y poliédrico, incluso en vida puede matar a personas o comérselas vivas; puede causar o hacer desaparecer diversas enfermedades y epidemias, tormentas, lluvia, granizo y demás; hechiza vacas y su leche, las cosechas y las crías del ganado; conoce todos los secretos y el futuro, etc. Además puede hacerse invisible o transformarse en varios objetos, particularmente los de forma animal.

Estas líneas ilustran la flexibilidad de las leyendas antiguas. El autor intenta documentar los poderes y actividades de los vampiros y termina por acabar las frases con un «etc» y con un «y demás», y así otorga suficiente licencia poética a los que quieran completar las frases a su antojo.

Requisitos de un vampiro

Es de suma importancia para un vampiro recluirse de día para descansar. Requiere que el ataúd pueda guardarse en un lugar secreto, absolutamente seguro, ya que cuando está en su interior es muy vulnerable. Este aspecto de su «vida» nos recuerda que se encuentra muy cómodo con la muerte y sin embargo, como todos los difuntos, es muy propenso a estar en peligro. Quizás el ataúd esté forrado de suave seda, pero debe tener siempre una capa de tierra de la tumba donde fue depositado al morir. Precisa tener consigo toda la parafernalia de objetos que forman parte de su proceso de transformación y esta tierra es uno de ellos. Proviene de donde debería haber descansado, polvo al polvo, cenizas a las cenizas. Es casi como si reconociese que la destrucción final es inevitable. El sirviente más accesible para un vampiro, el señor, es un muerto viviente que su amo se encarga de mantener en un perfecto equilibrio entre la vida y la muerte. El criado se lo agradece sirviéndole y a cambio el señor retrasa su deterioro final, ya que, como hemos descrito, un muerto viviente sin las atenciones de un vampiro se degrada a gran velocidad.

Este criado promete cumplir los deseos de su amo y actúa como si estuviese hipnotizado. Mantiene a distancia a visitantes curiosos, como los estudiosos del ocultismo o doctores inquisitivos; se provee de ratas y pequeños animales para mantener un constante suministro de sangre; cierra el acceso al lugar de descanso del señor y se asegura de que todo permanezca en perfectas condiciones cuando su amo no está en casa. Es probable que la única relación próxima del sirviente sea con su amo, ya que éste le permite presenciar toda su verdadera vida. Dejando de lado esta relación, el vampiro es un ser solitario que debe vivir aislado, matar y chupar sangre, cometer actos horrendos impropios de humanos, pero sigue teniendo los sentimientos de los mortales. A lo largo de los siglos, nunca se acercará a otras criaturas para compartir pensamientos, sentimientos y sensaciones. Dos vampiros nunca podrían vivir juntos, ya que, como necesitan alimentarse, pronto acabarían con los suministros locales de sangre fresca y su lujurioso deseo de este fluido humano los haría discutir todo el tiempo.

La lujuria de sangre de la condesa Bathory

Quizás uno de los casos más famosos de lujuria por la sangre y el poder fue el de la condesa Erzebet Bathory de Hungría, cuya vida ha sido contada diversas veces e incluso se ha realizado una película sobre ella. Se dice que bebió y se bañó en la sangre de seiscientas cincuenta vírgenes porque creía que de este modo rejuvenecería. Las víctimas eran reclutadas por sus criados con la excusa de escoger sirvientes para su hogar, el castillo de Csejthe. Todas ellas caían irremediablemente presa de su sed de

La condesa Erzsebet Bathory de Hungría, la bella y la bestia.

El vampiro es un ser solitario que debe vivir aislado, matar y chupar sangre, cometer actos horrendos impropios de humanos, pero sigue teniendo los sentimientos de los mortales. En la foto, Klaus Kinski en el film de Werner Herzog *Nosferatu* (1979).

sangre. Cuando el castillo fue asaltado en el invierno de 1610, gracias a que una víctima potencial logró escapar y avisar a las autoridades de las atrocidades que la condesa estaba cometiendo allí dentro, se encontraron cadáveres desangrados del todo, algunos con diminutos agujeros por todo el cuerpo; chicas que todavía permanecían vivas pero casi drenadas y una totalmente «vacía» de sangre pero aún caliente. Las cómplices de la condesa fueron juzgadas y decapitadas, y su dueña fue emparedada en su habitación y alimentada a través de un pequeño agujero hasta que murió en 1640. Todavía no se sabe si la condesa fue una verdadera mujer vampiro o si simplemente fue una mujer con una pasión insana por la juventud. Alguna gente de la zona sigue diciendo que aún deambula y mata.

Desde luego, en la actualidad, un vampiro cada vez lo tiene más difícil para encontrar un lugar retirado con un castillo donde pasar sus días pacíficamente y que la comunidad local lo abastezca de la necesaria sangre fresca para sobrevivir.

Se dice que vampiros hambrientos han recorrido ciudades y extrarradios apartados en busca de víctimas. El *Weekly World News,* un periódico de Estados Unidos, reveló en su edición del 2 de diciembre de 1980, bajo el titular «Vampiros asesinos barren Estados Unidos» que:

Los vampiros han cometido una horrible ola de asesinatos en EE.UU. y los expertos creen que sus víctimas pueden haber llegado 6.000 a lo largo de un año. La policía investiga docenas de espeluznantes asesinatos que han dejado cadáveres desangrados, pálidos, rotos y a veces horriblemente mutilados con señales de haber sido usados en ritos satánicos. Entre éstos se encuentran:

- *Un doble crimen en la ciudad de Nueva York en el que los cadáveres no contenían sangre ni para hacer un análisis.*
- *Seis personas de Sacramento, California, desangradas por un hombre que luego confesó haber bebido su sangre.*
- *Un niño de siete años del Bronx, Nueva York, que fue encontrado colgando boca abajo, y cuyo cuerpo había perdido la sangre a través de terribles mutilaciones.*
- *Nueve vagabundos de California, asesinados cada uno de ellos en noches de luna llena por alguien que luego bebía su sangre.*

El vampiro actualizado: *Déjame entrar (Lat den ratte komma in, 2004*), la película de Tomas Alfredson basada en la novela del mismo nombre de John Ajvide Lindqvist, escritor sueco de libros de terror.

–«No cabe duda de que estas criaturas necesitan como mínimo una pinta de sangre humana al día», dijo el Dr. Stefen Kaplan, jefe del Instituto de Investigación sobre Vampiros en Elmhurst, Nueva York. «No pueden comprarla pues requiere una receta. He oído que a veces cogen autostopistas para satisfacer su sed de sangre.»

Obviamente, no podemos estar seguros de que esto sea obra de vampiros o muertos vivientes y no de algún ser humano trastocado. Sin embargo, cada año hay suficientes informes de esta naturaleza por todo el mundo para que podamos pensar que al menos algunos de ellos se deben a auténticos casos de vampirismo. La leyenda desde luego todavía sigue muy viva.

Vestido para cenar

Un vampiro puede vivir cientos, incluso miles de años. A lo largo de este tiempo puede amasar importantes riquezas y un estatus entre las familias nobles con un pasado más oscuro. Debe vestir correctamente, acorde con su alcurnia. Para poder eludir el problema de sentirse indispuesto durante el día y por lo tanto no poder ir a tiendas como sombrereros o sastres, el vampiro deberá pagar enormes recompensas a los propietarios de aquellas tiendas que mantengan sus puertas abiertas cuando haya anochecido y estén listos para quedar a cenar tarde en elegantes restaurantes con el fin de realizar importantes transacciones económicas. En las fotografías de estas páginas serían el equivalente moderno de los vampiros mejor vestidos, a los que uno no reconocería si no se fijase con atención.

El vampiro tradicional va vestido como todo un caballero. Su vestimenta más habitual es una larga capa negra que cuando se abre se asemeja a las alas de un murciélago vampiro. Es de señalar que éstos últimos se llaman así por los

«Te condeno a la muerte en vida, a vivir eternamente sediento de sangre.» Vestido para cenar, Gary Oldman en *Dracula de Bram Stoker*, de Francis Ford Coppola (1992).

vampiros y no al revés. La historia de que los vampiros se transforman de noche en murciélagos es falsa. La capa está realizada en seda brillante y satinada, y ninguna investigación ha sido capaz de averiguar cuales son exactamente sus características ni origen. Algunos dicen que el propio vampiro la teje cuando descubre que se ha transformado, pero la verdad es que el secreto pasa a través de generaciones sin que ningún humano haya podido descubrir el secreto.

El vampiro puede envolver con ella todo su cuerpo levantando el brazo justo por encima de la cabeza en un gesto que se ha convertido en familiar para la mayoría de nosotros. Al realizar este movimiento, crea un «agujero negro» con el cual se vuelve literalmente invisible para los humanos que lo observan. De este modo, se puede esconder en cualquier parte o marcharse sin ser visto.

Debajo de la capa el vampiro viste un elegante esmoquin, con una cola que le llega por debajo de la rodilla. Los pantalones, planchados a la perfección, son también negros.

Con el esmoquin lleva invariablemente una camisa blanca de la misma tela brillante que la capa, con cuello blanco rígido e inmaculado más alto de lo normal para esconder la cadavérica palidez de su rostro. Los vampiros nunca se muestran a plena luz, y escogen solo habitaciones iluminadas con velas que permiten esconder su verdadera naturaleza con ayuda de su vestimenta.

Toda su ropa está realizada con la misma tela que su capa para facilitar movimientos rápidos. El hecho de vivir fuera del tiempo humano también le simplifica las cosas. Así puede moverse con extremada rapidez. Es tan veloz que sus movimientos son casi imperceptibles al ojo humano.

Para acompañar su elegante atuendo, calza zapatos de piel que su hipnotizado criado abrillanta hasta alcanzar la perfección.

Como desviación moderna de la tradición, hemos añadido en estas páginas una moda algo más extravagante. El vampiro moderno, después de tantos siglos de aprendizaje, se permite la indulgencia, así como el camuflaje, de llevar vestimenta moderna.

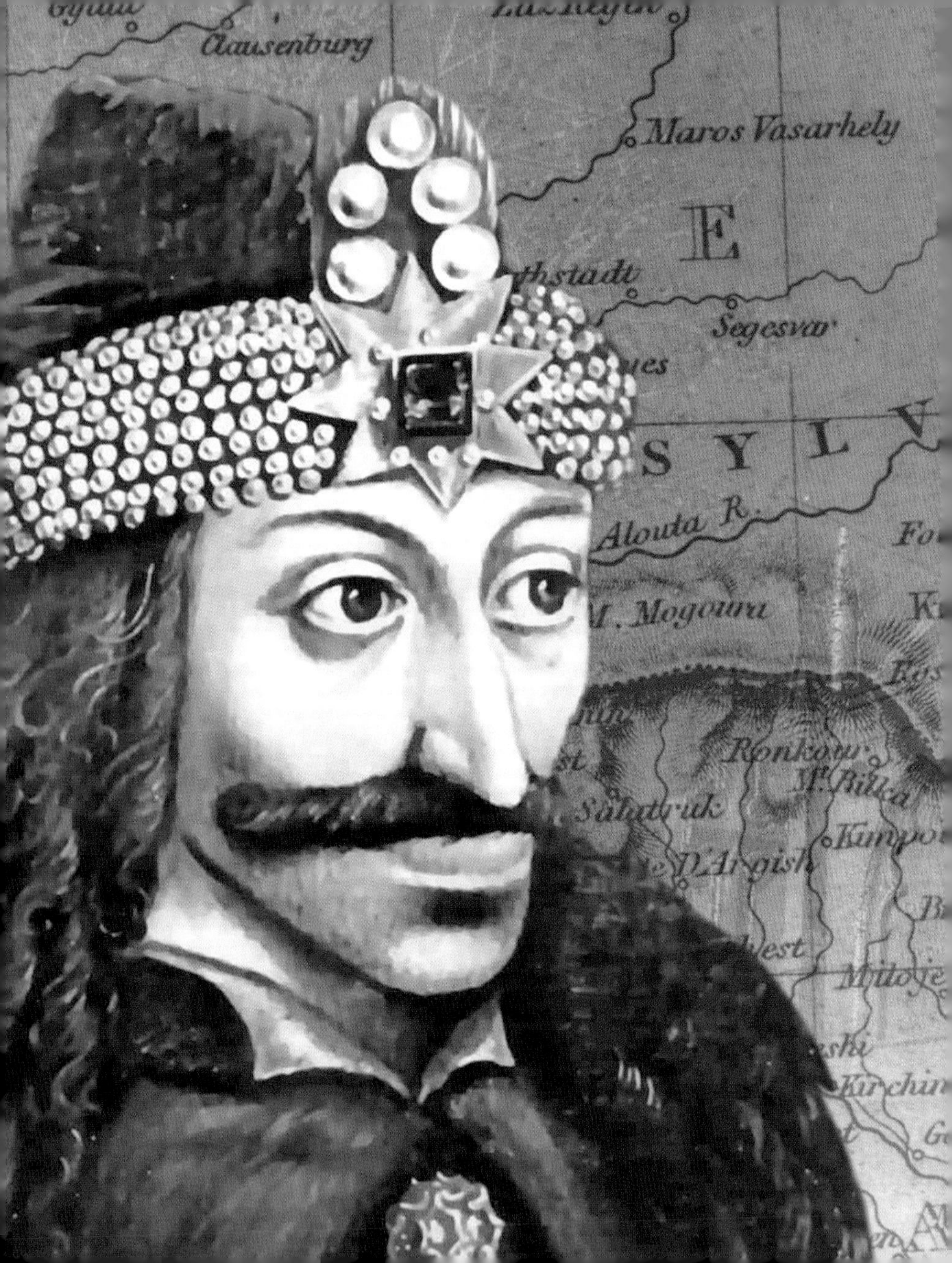

Clausenburg
Maros Vasarhely
E
Segesvar
S Y L
Aluta R.
M. Mogoura
Ronkow
Kimpo
Kirchin

Capítulo Cuatro

En busca del conde Drácula

Clausenburg
Karlsburg
T R A
Hermanstadt
Boitza (Mines
Rothentum
Livadzel
Volkan
Simbotin
Tirgochil
Strebaja

El retrato más famoso del aristocrático vampiro aparece en la novela *Drácula,* de Bram Stoker, que fue el primero en bautizar al monstruo con este sonoro nombre. A partir de entonces, Drácula ha sido inmortalizado en numerosas películas y novelas como el arquetipo de vampiro: aristocrático, de una fealdad inquietante, siempre pálido y demacrado, una criatura escuálida con orejas puntiagudas y larga uñas, vestido con esmoquin y capa negra, y que atrae a sus víctimas hipnotizándolas con la mirada y susurrándoles al oído con su fuerte acento húngaro.

Durante mucho tiempo se creyó que Drácula era producto de la imaginación de Bram Stoker. Sin embargo, el contexto geográfico, histórico, topográfico y folclórico tan extraordinariamente detallado en que transcurre la novela induce a pensar que Stoker viajó personalmente de Londres al «país de Drácula» o que antes de escribir el libro llevó a cabo una exhaustiva investigación sobre Europa oriental y Rumania. *Drácula* se basa en las hazañas de un legendario príncipe rumano conocido por los historiadores como Vlad Dracul el Empalador, cuya fama como gobernante despiadado, inteligente y sanguinario, y caudillo de los ejércitos traspasó las fronteras de Rumania y llegó a Europa central, e incluso a Inglaterra, país natal de Stoker.

El legendario príncipe rumano, llamado por los historiadores Vlad Dracul el Empalador, cuya sangrienta fama llegó más allá de las fronteras de su país.

Vlad Dracul vivía en Transilvania, una región rural de Rumania conocida como «el país de Drácula» desde el éxito alcanzado por la novela de Stoker. Muchos cazadores de vampiros, además de estudiosos de ciencias ocultas, médicos o, simplemente, turistas curiosos han viajado a la zona para investigar la vida del famoso conde, estudiar sus costumbres y hábitos, o, tristemente, para acabar con su existencia asesina, ya que, con el paso del tiempo Vlad Dracul acabó por ser identificado con el personaje de ficción, Drácula el Vampiro.

Viaje al país de Drácula

Lanzarse tras las huellas del vampiro significa emprender un viaje misterioso y peligroso que nos lleva a un país que se parece y se siente como los paisaje de ensueño de los cuentos de hadas: grandes extensiones de tenebrosos y espesos bosques a través de los montes Cárpatos y de los brumosos y remotos valles de Transilvania, en cuyas montañas se encuentra el castillo de Drácula, con las espeluznantes evocaciones de empalamientos, torturas y hazañas crueles y sanguinarias escritas sobre sus muros.

Desde cualquier ciudad del mundo, la primera escala es Munich, la hermosa ciudad bávara, en Alemania. El mejor hotel donde hospedarse es el Vierjahrzeiten Hotel (Hotel Cuatro Estaciones): Jonathan Harper, el personaje principal de la novela de Bram Stoker, se alojó en él, al igual que muchos otros investigadores y cazadores de vampiros de la historia. El hotel es uno de los

Este antiguo mapa de Transilvania fue realizado por uno de los mejores cartógrafos de la época, Coronelli, a partir de un manuscrito original de 1688. El mapa muestra las ciudades y pueblos de la región escritos en sus tres idiomas: húngaro, alemán y rumano.

más importantes peldaños en el camino del vampiro: sus magníficas habitaciones invitan a reflexionar y a prepararse para la aventura.

En Munich cogemos un tren en dirección a Viena, capital de Austria. El viaje nos lleva a través de extraordinarios y hermosos paisajes, y, desde Viena, nos dirigimos a Budapest, en Hungría. Viena y Budapest están situadas en orillas opuestas del Danubio y el tren sigue los suaves meandros de este gran río. La espléndida ciudad de Budapest es la puerta de Europa oriental y también el último puesto centroeuropeo, desde donde el viajero cruza las verdaderas fronteras del continente y se ve rápidamente envuelto en una atmósfera novelesca y misteriosa, porque esta parte de Europa es realmente diferente de las demás: el viajero se sumerge en un pasado en que los vampiros dominaban pueblos y gentes, tiempos primitivos recorridos por vientos muy fuertes y miedos muy profundos, todavía vivos en esas tierras a menudo inhóspitas.

El viaje prosigue desde Budapest hasta Cluj, en Rumania, la ciudad más importante de Transilvania, a unas seis horas en tren. En la novela de Stoker, Cluj recibe el nombre de Klausenburg, anglicismo del nombre alemán, ya que en aquella época la región se hallaba incluida en el imperio de los Habsburgo. Jonathan Harper, el protagonista de la novela de Stoker, se alberga en el Hotel Royale, actualmente llamado Continental.

En Cluj, en el centro de Transilvania, hay una mezcla de poblaciones: sajones en el sur, valacos (o rumanos), magiares (o húngaros) en el oeste y, en el este y el norte, escequelios, que se dicen descendientes de Atila y de los hunos. El nombre de Rumania procede del origen étnico de su población, ya que esta región era la más oriental del Imperio romano. El idioma de los soldados romanos estacionados allí era el latín; los rumanos se sienten muy orgullosos de sus raíces latinas, un caso único en la zona ya que los idiomas predominantes son eslavos. Los rumanos son extrañamente inofensivos y tímidos, como corresponde a una población con raíces campesinas. La dictadura de la familia Ceausescu dejó una profunda huella en el país y sus gentes, manteniéndolos en un estado de desarrollo casi congelado. Se llegó incluso a barajar la posibilidad de que el mismo Ceausescu fuera quizás un vampiro en base a los numerosos rumores que corrían por la zona sobre sus actividades nocturnas en busca de víctimas. Sea como fuera, la atmósfera de incertidumbre y aventura reinante en Rumania satisface los deseos de los cazadores de aventuras.

Después de una noche de descanso, el viajero puede disfrutar de un sabroso plato local llamado *mamaliga*: «una especie de potaje de harina de maíz» que sigue siendo típico de la dieta de los campesinos rumanos. Para el almuerzo en Cluj, Jonathan Harper tomó pollo con pápikra e *impletata*, un plato a base de berenjena. Estos tres platos son tan importantes en la gastronomía transilvana que, según se dice, el conde Drácula los ofrece a sus huéspedes, mientras él permanece en silencio y actitud meditativa sin probar bocado, ya que su dieta es bastante restringida.

Otra vez esta figura lúgubre e imprecisa, que acecha en lugares donde sería poco aconsejable ir. En este caso podemos ver a Bela Lugosi como Drácula.

Desde Cluj solo se puede penetrar en el país de Drácula en coche. El trayecto hasta Bistrita dura aproximadamente un día. Bosques de robles, hayas y pinos dominan el paisaje, y tranquilos riachuelos fluyen por los valles; el conjunto es tan placentero que resulta difícil imaginar cómo los directores de cine presentan paisajes tan siniestros, inhóspitos, salvajes y peligrosos. De vez en cuando puede verse algún castillo o fuerte en la cima de empinadas colinas. Los almiares aparecen alineados en los lindes de los campos cultivados y puede verse el humo de las chimeneas de las granjas al anochecer, cuando, finalizada la dura jornada de trabajo, hombres y mujeres regresan a sus casas en busca de una escudilla de sopa.

Las gentes de Transilvana son sumamente religiosas y supersticiosas: junto a las carreteras pueden verse muchas cruces para proteger caminos y campos, pero también para santificar y custodiar a obreros y viajeros.

Los estudiosos del folclore han podido comprobar que estas supersticiones abundan en la zona norte del país, donde los aldeanos siguen creyendo que las fuerzas del bien y del mal luchan constantemente por la supremacía. No hay argumentos científicos para romper el modelo del misterio.

Así por ejemplo, los campesinos creen en *nosferatu* o *necuratul*, que significa literalmente «sucio» y en rumano se usa para designar el demonio. El *Ordog* (Satán en húngaro) deambula por los bosques durante la noche. Cabe mencionar también la palabra *strigoiaca*, que en rumano significa mujer vampiro; más astuta que su equivalente masculino, aparece tan pronto como se la evoca y se lleva una vida. La palabra «vampiro» procede de la voz eslava *vampyr*, y no cabe duda de que esta criatura es bien conocida por los campesinos rumanos. Los aldeanos no solo pueden recurrir a los poderes de la Iglesia (agua bendita, la cruz y oraciones) sino también a vegetales como el ajo, el acónito y los pétalos de rosas silvestres que se cultivan localmente para combatir sus miedos y mantener alejadas las criaturas diabólicas cuando hacen acto de presencia. El campesino rumano nunca se burlaría de estas cosas, ya que el condicionante histórico ha sido tan persistente, que nunca serían consideradas supersticiones. Solo en Occidente las tomamos como tales, lo que degrada su valor. Basta una visita a este extraordinario país para convencer a cualquiera de que existen más cosas en el cielo y en la tierra de las que somos conscientes desde nuestra limitada filosofía occidental. Porque se trata ante todo del país del vampiro.

Bistrita se halla situada en el extremo oriental del país, cerca de la frontera de Moldavia y Ucrania, en medio de los Cárpatos. Desde Bistrita podemos continuar por el desfiladero de Borgo. La descripción de la zona en la novela de Bram Stocker sigue siendo válida en la actualidad.

> *Ante nosotros se extendía un terreno verde inclinado lleno de bosques con empinadas colinas aquí y allá, coronadas con cúmulos de árboles o con casas campesinas, con sus paredes vacías mirando hacia la carretera. Por todos lados había una enloquecedora cantidad de frutos en flor: manzanas, ciruelas, peras y cerezas. Y a medida que avanzábamos, pude ver cómo la verde hierba bajo los árboles estaba cuajada con pétalos caídos.*

El hogar del chupador de sangre

El viajero llega finalmente al castillo de Drácula por el desfiladero de Borgo (anglicismo para Prundul-Bargaului).

> *...un inmenso castillo ruinoso, de cuyas altas ventanas negras no salía un solo rayo de luz, y cuyas quebradas murallas mostraban una línea dentada que destacaba contra el cielo iluminado por la luz de la luna.*

Es aquí donde vive el conde Drácula, «un hombre alto, ya viejo, cuidadosamente afeitado, a excepción de un largo bigote blanco». Va vestido de negro de la cabeza a los pies, posiblemente una moda entre la aristocracia local de la época.

> *Aquí soy un noble, soy un boyardo; la gente común me conoce y yo soy su señor.*

La palabra *boyardo,* de origen eslavo, significa en rumano miembro de la nobleza terrateniente.

El conde Dracula fue el creador de un «bosque de empalados» que flanqueaba los caminos para dar la bienvenida a las tropas invasoras y a todos los visitantes en las fronteras de su país.

Una vez más encontramos representaciones de la muerte esculpidas para siempre, como si el escultor deseara recordarnos nuestros más hondos temores.

En realidad no sabemos si Drácula sigue viviendo en Rumania. El personaje de ficción del libro de Stoker se basa claramente en la vida de Vlad Dracul, hombre dotado de unas aptitudes, de un poder y de una violencia inmensos, del que se dice vivió más de doscientos años. En el relato de Bram Stoker, Van Helsing, el cazador de vampiros que sigue valientemente los pasos de John Harper desde Londres a Bistrita para encontrar y matar a Drácula, obtiene información sobre el vampiro de su amigo «Arminius de Buda-Pesth». Arminius Vambéry también existió en la realidad; fue un erudito y orientalista contemporáneo de Bram Stoker, que viajaba a menudo de Londres a Budapest y que depositó sus escritos sobre vampirismo en el British Museum, la mayor biblioteca y fuente de conocimiento del mundo de la época. Al parecer, Arminius Vambéry había descubierto un extraño documento en el que se hacía referencia al conde Drácula como «*wampyr*, al que todos conocemoss demasiado bien». La palabra significa, en esencia, «chupador de sangre».

En la novela, los antepasados del conde Drácula se remontan al «país de los lobos». Los dacios, antecesores de los rumanos, se describen a sí mismos como «hombres lobo» y en su bandera aparece la cabeza de un lobo con cuerpo de serpiente.

Van Helsing describe al conde Drácula como poseedor de un «cerebro poderoso y de ser conocedor de lenguas nuevas, política, derecho, ciencias e incluso ocultismo», atributos que el conde comparte con Vlad Dracul, su alter ego histórico.

¿Fue Vlad Dracul el primer vampiro famoso de la historia, en cuyas hazañas y estilo de vida se moldearon y crecieron las leyendas? ¿O el conde Drácula es Vlad Dracul todavía vivo, que ha subsistido como vampiro durante cientos de años y reside anónimamente en Rumania?

El príncipe Drácula el Empalador

Drácula se hizo famoso más allá de su posición en el mundo de la política, fama incluso mayor que su tiempo histórico, un período agitado y peligroso marcado por constantes y terribles guerras. En su época fue tristemente célebre en Rumania y en los países de los alrededores por cometer los peores crímenes jamás conocidos en la historia; según algunos, peores que los llevados a cabo por Calígula en Roma. Fue el creador de un «bosque de empalados» que flanqueaba los caminos para dar la bienvenida a las tropas invasoras y a todos los visitantes en las fronteras de su país. Mujeres embarazadas, niños, jóvenes y viejos eran sometidos a esta tortura que consistía en insertar una estaca afilada por el recto hasta que ésta salía por la garganta o la cabeza; luego se plantaba la estaca en el lúgubre bosque. Ésta era la principal señal para disuadir a cualquiera de delinquir o de traicionar al terrible Dracul, dirigente de este terrible país. Cuando, por falta de costumbre, unos emisarios se negaron a quitarse el sombrero en su presencia, les dijo que solo quería honrar y fortalecer sus costumbres, y les clavó los sombreros en la cabeza, una tortura que más tarde sería adoptada por Iván el Terrible de Rusia.

Tras la muerte aparente de Dracul, su cruel carisma se difundió por diversos territorios en las lenguas de los monjes que viajaban de Rumania a las provincias alemanas y austriacas. Algunos jefes militares imitaron sus técnicas bélicas con la esperanza de alcanzar su mismo éxito en la lucha contra los ejércitos turcos que durante todo su reinado habían amenazado constante-

Ya fuera un heroico jefe militar o un monstruo, lo cierto es que Drácula parece aún más interesante que su romántico homólogo de ficción.

mente con invadir su país. La naturaleza sanguinaria de este personaje se convirtió en la temática de los primeros relatos de terror que se publicaron en el siglo XV en Centroeuropa. Su lectura producía tal avieso placer entre los lectores que estos primeros libros se convirtieron en verdaderos superventas de la época, casi tanto como la Biblia.

Ya fuera un heroico jefe militar o un monstruo, lo cierto es que Drácula parece aún más interesante que su romántico homólogo de ficción, y gracias a exhaustivas investigaciones llevadas a cabo por cazadores de vampiros y otros eruditos interesados en el tema, ahora podemos situarlo claramente dentro del agitado contexto histórico en que vivió.

El clan Drácula

El príncipe Drácula, que gobernó en los territorios de la actual Rumania, había nacido en 1431. En aquella época, Europa, que se extendía desde el océano Atlántico hasta el mar Negro y la costa báltica, representaba mucho más que una agrupación de civilizaciones. Los países estaban unidos por poderosos lazos dinásticos y de vasallaje y, pese a que el Renacimiento dejó una profunda huella en la cultura europea, la Iglesia seguía teniendo una autoridad omnipresente y la estructura feudal seguía dominando los distintos estratos de la sociedad.

Transilvania, cuna de Drácula, estaba habitada en la Antigüedad por los dacio-romanos, o, como se les llama en tiempos modernos, los rumanos. Conquistada por los romanos entre 101 y 105 d. C., los dacios, habitantes originales, abandonaron la lucha, y la región, incorporada al Imperio romano, asistió a una inmigración en masa de poblaciones procedentes de todos los rincones del imperio. La región está situada en los Cárpatos y fue descrita por los primeros viajeros que llegaron allí como «trans silva», que en latín significa más allá de los bosques. Los Cárpatos son unos montes muy boscosos y el nombre de Transilvania da una idea muy exacta de la zona.

Por su posición geográfica en las proximidades del mar Negro y de los territorios turcos en el sureste y de la Horda de Oro de los tártaros en el noreste, Transilvania y toda la región, conocida como Rumania en la actualidad, era muy vulnerable frente a las invasiones de infieles, quienes, tras conquistar estos territorios, tenían vía libre a Centroeuropa. Rumania era algo parecido a las actuales regiones del Próximo Oriente, un punto candente de conflicto político.

Las invasiones turcas propagaron la destrucción, la quema de pueblos y campos y el asesinato de gran parte de la población. Pero los turcos no solo trajeron aniquilamiento en forma de guerra sino también de terribles enfermedades como la sífilis, la tuberculosis, la lepra y la viruela. Estos estragos, junto con desastres naturales como inundaciones, malas cosechas, terremotos y plagas de langotas llegadas del Este, empujaron a las remotas poblaciones del país a un estado de pérdida total de la inocencia y a confiar plenamente en lo que en la actualidad llamamos superstición, en la firme creencia en el poder del demonio, que debía ser combatido consultando oráculos y adivinos. Los viajeros que en aquellos tiempos llegaban al este de Europa dejaron constancia de las arraigadas creencias en «falsos» ídolos, de la quema de brujas y de todo tipo de comportamientos supersticiosos.

En este clima se formó el contexto cultural del joven Vlad Dracul, el verdadero Príncipe de las Tinieblas. Pero no hay que olvidar el trasfondo histórico (como hicieran los victorianos o incluso viajeros más actuales), ya que hemos visto cómo muchas de las tradiciones y leyendas de estos pueblos se basan en una necesidad muy práctica: la presencia de lo misterioso para explicar lo inexplicable. La presencia del demonio en sus vidas era tan sólida como la de la tierra, la cosecha y las ropas que vestían. Llamaba a la puerta de sus casas en forma de guerra, pobreza y lucha constantes, y la magia de las brujas en que creían era una forma muy real de comprender, en un sentido parecido a nuestros valores científicos actuales.

Entre los antepasados de Vlad destaca su bisabuelo Mircea el Grande por sus aptitudes diplomáticas y por la conquista exitosa de nuevos territorios. El centro de su poder era Valaquia, una región limítrofe con Transilvania. Para evitar rendirse ante los turcos, Mircea el Grande firmó un tratado de alianza con Segismundo de Luxemburgo en 1395. Después del tratado, Mircea tomó parte en una cruzada conducida por Segismundo contra los otomanos.

En aquellos tiempos era costumbre enviar a los hijos de la nobleza a formarse e instruirse en el seno de otras familias nobles durante algunos años, lo que comportaba intereses personales o lazos de vasallaje entre ambas familias. Dada la relación entre Mircea el Grande y Segismundo de Luxemburgo, Vlad, su nieto y sucesor, fue enviado a su corte a temprana edad. Vlad, en tanto que heredero del trono de Valaquia, buscó la protección de Segismundo contra los turcos. Segismundo introdujo a Vlad en la Orden del Dragón, lo que le confería el título de príncipe. La Orden del Dragón había sido fundada por el Sacro Emperador romano germánico en 1387 como sociedad secreta fraterna. Al igual que mucha otras órdenes religiosas de caballería, sus objetivos y obligaciones eran proteger al soberano germano y a su familia, defender el imperio, difundir el catolicismo, amparar a las viudas y a los niños, y, por supuesto, luchar contra los infieles turcos. Al parecer el motivo final del secretismo de la orden era conseguir la supremacía política de la Casa de Luxemburgo en Europa.

En febrero de 1431, Vlad fue hecho caballero de la Orden del Dragón. Ciertas disposiciones de la Orden pueden darnos algunas claves interesantes acerca de la creación de la leyenda de Drácula. Un nuevo caballero debía llevar dos capas, una verde (el color del dragón) para ser usada sobre prendas de color rojo (la sangre de los mártires); la otra negra, utilizada solo los viernes o durante celebraciones y que posteriormente sería adoptada por el conde Drácula de Bram Stoker. Además, los miembros de la Orden debían llevar un medallón con la insignia del dragón artísticamente tallada por un maestro artesano. El dragón, que era representado con dos alas y cuatro patas desplegadas,

El palacio original de Vlad Dracul en Tirgoviste, Rumania, es el lugar desde el que el sanguinario príncipe torturaba, asesinaba y aterrorizaba a su pueblo. El palacio sigue en pie, digna evocación de un gobernante violento y efectivo.

las fauces semiabiertas, la cola enroscada alrededor de la cabeza y el dorso partido en dos, colgaba postrado frente a una doble cruz. Simbolizada la victoria de Cristo sobre las fuerzas de la oscuridad. Los caballeros de la Orden debían llevar el medallón hasta su muerte, momento en que era colocado en su ataúd.

Cuando Vlad regresó a su país natal, fue llamado «Dracul» por la nobleza terrateniente, los boyardos de Valaquia, en reconocimiento a su honor como miembro de la Orden del Dragón (*draco* en latín). Sin embargo, la mayoría de la gente de Valaquia, desconociendo el título de caballero y viendo un dragón en su escudo y posteriormente también en sus monedas, lo llamó «Dracul» en referencia a la iconografía ortodoxa (especialmente a la que muestra a san Jorge dando muerte al dragón), en la que se representa al diablo como dragón. Además, en rumano la voz dragón puede significar a la vez dragón y diablo. La palabra Drácula adoptada por Bram Stoker y otros novelistas fue el nombre dado al hijo de Vlad, ya que en rumano el sufijo «a» significa «hijo de». Toda la familia de Vlad fue conocida por el pueblo e incluso en los libros de historia como «Dracul». Así pues, Drácula significa literalmente hijo de Dracul, o, como veremos, «renacido» de Dracul.

Las sanguinarias hazañas de la carrera de Drácula y el doble significado de su nombre contribuyeron a las connotaciones diabólicas con que fue conocido. Así fue cómo nació la leyenda.

Tan pronto como Vlad fue hecho caballero de la Orden del Dragón, juró lealtad al emperador, se le concedió personal a su servicio y fue nombrado príncipe de Valaquia. Sin embargo, el sueño de Vlad de tomar posesión del trono valaco tuvo que esperar, ya que, según las leyes del país, cualquier hijo de príncipe, legítimo o no, podía reclamar el trono siempre que fuera el mayor. Durante su etapa educativa en la corte de Segismundo, su hermanastro Alexandru Aldea, se había apoderado del trono. Por razones políticas, el emperador deseaba mantener el reconocimiento de Alexandru como príncipe y nombró a Vlad, a pesar de su nueva admisión en la Orden, gobernador militar de Transilvania con la misión de vigilar las zonas fronterizas.

Vlad Dracul decidió establecer sus cuarteles en la fortaleza de Sighisoara por su ubicación céntrica y estratégica. Situada en la ladera de la montaña, la fortaleza estaba rodeada de gruesas murallas defensivas de piedra y

ladrillo de aproximadamente un kilómetro de longitud; había sido recientemente reconstruida para resistir la más poderosa de las artillería turcas. Además contaba con 14 torreones, cada uno de los cuales recibía el nombre del gremio que había costeado su construcción: sastres, joyeros, peleteros, carniceros, orfebres, etc. Gracias a estos macizos torreones la fortaleza era inexpugnable.

Los príncipes rumanos de la época compartían con los otomanos la «filosofía del harén» y no se hacía distinción alguna entre esposas legítimas y concubinas, ya que lo único que realmente contaba para acceder al trono era descender de la línea masculina real. Sin embargo, Vlad Dracul engendró tres hijos legítimos, el segundo de ellos llamado también Vlad Dracul, nacido en diciembre de 1431, y que se convertiría el mundialmente famoso príncipe Drácula el Empalador.

El mayor deseo de Vlad Dracul era tomar posesión de lo que consideraba su legítimo trono de Valaquia, que seguía ocupado por su hermanastro. Finalmente, en 1434, Segimundo, viendo que la relación de Alexandru con los turcos era demasiado estrecha para su gusto, ordenó a Vlad formar un ejército con soldados transilvanos y apoderarse de Valaquia. Vlad Dracul se enfrentó a los turcos y, en 1436, entró con su ejército en Tirgoviste, la capital de Valaquia, y se convirtió en príncipe con el beneplácito del emperador.

Para el joven Drácula, la vida en la nueva corte de su padre fue toda una experiencia. Al llegar a la edad para ser aprendiz de caballero, le enseñaron natación, esgrima, lucha, tiro con arco, etiqueta de la corte y los más refinados aspectos de la equitación. También fue iniciado en ciencias políticas, cuyos principios fueron esencialmente maquiavélicos, porque estaba escrito que era mucho mejor para un príncipe ser temido que ser amado; esta forma de pensar debió de influir poderosamente en la personalidad de Drácula.

La tradición local cuenta que, desde temprana edad, Drácula estaba patológicamente fascinado por la contemplación del traslado de los delincuentes

Hie facht sich an gar ein grausſem
liche erſchꝛockenliche hyſtorien von dem wilden wütrich.
Dracole wayde. Wie er die leüt geſpiſt hat. vnd gepꝛaten.
vnd mit den haübtern yn einem keſſel geſoten. vñ wie er die
leüt geſchunden hat vñ zerhacken laſſen als ein kraut. Jtez
er hat auch den müterñ ire kind gepꝛatē vnd ſy habēs müſ/
ſen ſelber eſſen. Vnd vil andere erſchꝛockenliche ding die in
diſſem Tractat geſchꝛiben ſtend. Vnd in welchem land er
geregiret hat.

Jamás el hombre había inventado torturas y métodos de matar tan horrendos como los llevados a cabo por Vlad Dracul.

desde la cárcel al Torreón de los Joyeros, donde eran ejecutados en la horca. En 1437 murió Segismundo, rey de Luxemburgo, mecenas y protector de la familia Dracul, dejando Valaquia y a la familia reinante expuestas a los cada vez más frecuentes ataques de los turcos. Así, poco después de la muerte de Segismundo, Vlad Dracul firmó un pacto de alianza con el sultán Murad II de Turquía. Parece ser que Vlad Dracul solía acompañar a Murad II en sus frecuentes incursiones en Transilvania, las cuales iban acompañadas de asesinatos, pillajes y quemas de aldeas, lo que indudablemente contribuyó a crear la leyenda de la naturaleza sanguinaria de la familia Drácula.

Tras la muerte de su padre, el joven Drácula fue mantenido como rehén de los turcos, en cuyo ejército sirvió como oficial. Durante este período tuvo la oportunidad de aprender todos los métodos de tortura empleados por las fuerzas turcas con los prisioneros de guerra. En el Corán, por ejemplo, se establece que la iniciación sexual entre dos hombres debe empezar con el seductor hiriendo al futuro amante con la espada antes de mantener relaciones sexuales. Al parecer, el empalamiento de prisioneros era una forma de castigo tradicional.

Pese a los conocimientos y experiencias acumulados por Drácula en el ejército turco, seguía siendo prisionero del sultán y deseaba ocupar el trono de Valaquia del mismo modo que había hecho su padre, Vlad Dracul, antes que él. Así pues, Drácula decidió abandonar la corte del sultán turco en busca refugio en Moldavia, un estado vecino de Valaquia, donde esperaba encontrar protección y reunir un ejército que lo pusiera en el trono valaco. Tras una serie de aventuras y varios intentos fallidos, en 1456 Drácula se convirtió finalmente en el príncipe oficial de Valaquia con apenas 25 años.

El inicio de su reinado fue saludado por el paso de un cometa sobre Europa, hecho considerado por los astrólogos de la época como una señal celestial, un augurio de mala suerte y un preludio de terremotos, enfermedades, plagas, guerras y muchas otras catástrofes. Drácula, por su parte, lo consideró un profético inicio de su dominio sobre Valaquia y grabó el cometa en una de las caras de sus monedas; en la otra aparecía el águila valaca.

Drácula estableció su residencia en Tirgoviste, que se convirtió no solo en el centro del poder sino también de la vida social y cultural del país. Comparado con los estándares modernos, el palacio de Drácula era de proporciones bastante modestas; estaba dominado por una torre de vigilancia desde la que podía observar la campiña y mantenerse alerta ante un eventual ataque de los turcos. Desde allí también podía contemplar las matanzas que ordenaba diariamente y que tenían lugar en el patio situado a los pies del torreón. La torre Chindia todavía puede visitarse. Cerca de las bodegas, los almacenes y los baños aún pueden verse las numerosas cámaras de torturas en las que encerraba a los prisioneros moribundos.

Por tradición, los boyardos, familias nobles terratenientes, formaban el consejo de Valaquia, de cuyas órdenes dependía el mismísimo príncipe en materias administrativas y judiciales. Así pues, los boyardos tenían mayor poder que el soberano, por lo que estaban especialmente interesados en elegir al príncipe más débil posible, al menos capacitado para intervenir en sus decisiones. En consecuencia, el poder central era inestable y se había producido una rápida sucesión de príncipes, con una media de dos años de reinado por príncipe. Drácula iba a cambiar radical y rápidamente esta situación, sustituyendo el poder de los boyardos por una sede del poder centralizada que controlaba personalmente con puño férreo. Drácula también buscó vengarse personalmente de los boyardos que habían enterrado vivo a uno de sus hermanos, crimen que no podía ser perdonado.

La crónica rumana más antigua menciona los hechos que tuvieron lugar en la primavera de 1457:

> *[Drácula] había descubierto que los boyardos de Tirgoviste habían enterrado vivo a uno de sus hermanos. Para averiguar la verdad, registró su tumba y lo encontró tendido boca abajo. Al llegar Pascua, mientras todos los ciudadanos lo celebraban y los jóvenes bailaban, los rodeó[…] y los condujo junto con sus esposas e hijos, tal como iban vestidos para Pascua, a Poenari (emplazamiento del famoso castillo de Drácula), donde los puso a trabajar hasta que sus vestimentas estuvieron hechas jirones y quedaron desnudos.*

Según la tradición popular, Drácula primero empaló a los niños y a las mujeres en el patio de su palacio, luego los hombres fueron encadenados y conducidos a un lugar llamado la Fuente del Río, un viaje que duraba dos días. Una vez allí les ordenó que reconstruyeran el viejo castillo que se hallaba en ruinas. Drácula había ordenado a las aldeas de los alrededores del castillo que construyeran hornos de ladrillos y de cal. Los boyardos, bajo la constante amenaza de los azotes de los guardas de Drácula, formaron una cadena desde las aldeas en que se estaban cociendo los ladrillos hasta las murallas del castillo que iban reconstruyendo laboriosamente. Según el folclore local, dentro del castillo existe un pasadizo secreto que conduce a las entrañas mismas de la montaña, usado al parecer por Drácula para sus misteriosas prácticas. En la mente supersticiosa de los aldeanos locales sigue firmemente arraigada la creencia de que existe una «maldición Drácula» asociada a este lugar. Dicen que por la noche a veces aparece una llama dorada en el cielo, lo que es interpretado como el tesoro obtenido con artimañas que Drácula arrancó a los boyardos, y nadie debe intentar encontrar bajo la amenaza de sucumbir a la terrible maldición.

En sustitución de los boyardos, Drácula creó su propia nobleza formada en gran parte por hombres de origen plebeyo. Rompiendo con la tradición según la cual las tierras y riquezas confiscadas a un boyardo eran entregadas a un noble de la misma clase privilegiada, Drácula las donó a hombres de origen plebeyo que le debían enteramente su poder por lo que tenían un interés personal en la supervivencia del régimen, plebeyos que cumplían los deberes asignados por el terrorífico Vlad con la misma violencia con la que el Príncipe los ordenaba. Sin embargo, la idealización de su propio poder no solo llevó a Drácula a reducir a los boyardos a poco más que a una clase de sirvientes, sino que hizo extensiva la aplicación de pesados castigos a quien osara ofenderle, ya fuera o no intencionadamente. A continuación reproducimos un fragmento de un relato, que ha llegado hasta nuestros días, de una delegación diplomática genovesa en Valaquia.

> *He sabido que algunos italianos vinieron como embajadores a su corte. Al llegar, se quitaron los sombreros y las capuchas. Debajo del sombrero, llevaban una pequeña cofia o casquete que no se quitaron, como era costumbre entre los italianos. Drácula les pidió explicación del porqué solo se habían despojado de los sombreros, dejando*

Drácula estableció su residencia en Tirgoviste, que se convirtió no solo en el centro del poder sino también de la vida social y cultural del país.

puestos los casquetes en sus cabezas. A lo cual respondieron: «Ésta es nuestra costumbre. No estamos obligados a quitarnos los casquetes bajo ninguna circunstancia, ni siquiera en una audiencia con el sultán o el Sacro Emperador Romano». Drácula les respondió: «Con toda sinceridad, quiero fortalecer y reconocer vuestras costumbres». Ellos le agradecieron estas palabras, y, haciendo una reverencia, añadieron, «Señor, nosotros siempre serviremos a tus intereses si nos muestras tal bondad, y alabaremos tu grandeza en todas partes». Entonces, de manera deliberada, el tirano y asesino hizo lo siguiente: cogió unos clavos grandes de hierro y los hincó en círculo sobre la cabeza de cada embajador. «Creedme», les dijo mientras sus criados clavaban los casquetes en las cabezas de los emisarios, «ésta es la forma en la que fortaleceré vuestra costumbre».

También se dice, que para comprobar por sí mismo cómo trabajaban la tierra sus campesinos, Vlad Dracul el Joven vagaba disfrazado por el campo, particularmente de noche. Quería saber cómo vivían los campesinos, cómo y cuánto trabajaban, y qué pensaban. A veces se detenía en casa de alguno de ellos y les hacía todo tipo de preguntas. Este trato particular fue también adoptado por el vampiro romántico: se preocupaba por sus aldeanos no tanto porque cultivaban sus tierras provechosamente, sino más bien porque representaban una fuente de abastecimiento de sangre fresca. Tanto el Drácula histórico como el de ficción parecen compartir el papel de monstruo y protector al mismo tiempo, sujetando a la población con dolorosas e irrompibles cadenas.

La siguiente balada pone de manifiesto los métodos impuestos por el príncipe sobre los campesinos de sus hostigadas tierras.

Un día, Drácula encontró a un campesino que vestía una camisa demasiado corta. También llamaban la atención sus pantalones tejidos en casa, que pegados a sus piernas, dejaban ver los lados de sus muslos. Al verlo vestido de esta forma, Drácula ordenó que lo trajeran inmediatamente a la corte. «¿Estás casado?», le preguntó. «Sí, Alteza». «Tu esposa es, con toda seguridad, una perezosa. ¡Cómo es posible que tu camisa no cubra la pantorrilla de tus piernas? Ella no merece vivir en mi reino. ¡Debe morir!». «Le ruego me disculpe, mi Señor, pero estoy satisfecho con ella. Nunca sale de casa y es honesta.» »«Te sentirás más satisfecho con otra,

El torreón del palacio de Vlad Dracul en Tirgoviste, Rumania, desde donde el terrorífico príncipe contemplaba a sus súbditos empalados y torturados en el patio. ¿Cuántas ánimas todavía vagan por los alrededores, recordando los horrores vividos?

En las proximidades del castillo de Vlad Dracul se encuentran las lápidas de los asesinados y torturados, alineadas en hileras dentro de un bosque lúgubre; las ánimas tal vez siguen evocando las escenas más terribles de la historia.

ya que eres un hombre decente y trabajador.» Mientras tanto, dos hombres de Drácula habían traído a la pobre esposa, que fue inmediatamente empalada. Entonces, hizo traer a otra mujer y se la entregó al viudo campesino para que se casaran. Drácula le contó a la nueva esposa qué había sucedido a su predecesora y le explicó las razones por las cuales la difunta había provocado la ira del príncipe. Así pues, la nueva esposa trabajaba tan duro que no tenía tiempo para comer. Se colocaba el pan sobre un hombro y la sal sobre el otro, y trabajaba de esta manera. Trató de dar más satisfacción al nuevo esposo que la primera mujer para no incurrir en la maldición de Drácula.

El príncipe Drácula castigaba de forma inflexible y cruel a los parásitos de la sociedad, a los mendigos y a los vagabundos para dar ejemplo al resto de la población y para que así trabajaran duro y no se rebelaran contra sus reglas. Existe un ejemplo de esto tan conocido que a lo largo de los siglos ha sido traducido a diversos idiomas: alemán, ruso y rumano. Aquí, basándonos en la versión rumana, Drácula purga Valaquia de mendigos, enfermos y pobres.

Habiendo pedido a viejos, enfermos, cojos, pobres, ciegos y vagabundos que acudieran a un gran comedor en Tirgoviste, Drácula ordenó que se les preparara una fiesta. El día fijado, Tirgoviste crujía bajo el peso del gran número de mendigos reunidos allí. Los sirvientes del príncipe entregaron ropas a cada uno, y luego los condujeron a una gran mansión donde las mesas estaban preparadas. Los mendigos se maravillaron ante la generosidad del príncipe, y comentaron entre ellos: «Es verdaderamente una gentileza del príncipe». Entonces comenzaron a comer. Y qué creen que vieron ante ellos: unos manjares como los que uno encontraría en la mismísima mesa del príncipe, vinos y los más exquisitos platos que uno pueda imaginar. Los mendigos tuvieron un banquete que se convirtió en legendario. Comieron y bebieron con glotonería. Muchos de ellos se emborracharon. Cuando ya no pudieron comunicarse entre sí de forma coherente, se vieron de repente rodeados por humo y fuego por todas partes. El príncipe había ordenado a sus sirvientes incendiar la casa. Los mendigos corrieron hacia las puertas, pero estaban cerradas. El fuego avanzaba. Las llamaradas se elevaban cual dragones inflamados. Gritos, chillidos y quejidos salían de las bocas de los pobres encerrados allí. Pero, ¿por qué un fuego se conmo-

vería ante las súplicas de los hombres? Cayeron unos sobre otros. Se abrazaron entre sí. Buscaron ayuda, pero no quedaba oído humano alguno que los escuchara. Comenzaron a retorcerse en el tormento del fuego que los estaba destruyendo. El humo sofocó algunos, las brasas redujeron otros a cenizas. Cuando el fuego se extinguió de forma natural, no quedaba rastro alguno de alma viviente.

Tan grande era el miedo al empalamiento que el robo y otros delitos desaparecieron completamente de todo el reino de Drácula. Este nuevo orden de cosas no se debió tanto a la virtud del maquiavélico príncipe, sino más bien a su mente torturada. El recuerdo de su crueldad permanece en los cuentos del folclore rumano.

Si una esposa cometía adulterio, Drácula ordenaba que le cortaran los órganos sexuales. Era desollada viva y su carne despellejada expuesta en la plaza pública, con la piel separada colgando de una estaca o colocada sobre una mesa en el centro de la plaza del mercado. Se aplicaba el mismo castigo a las doncellas que no mantenían su virginidad y a las viudas no castas. Se dice que por delitos menores Drácula había hecho cortar el pezón de una mujer. También había hecho introducir una estaca de hierro al rojo vivo por la vagina de una mujer haciendo que el instrumento penetrara en sus entrañas y saliera por la boca. Luego hizo que la ataran desnuda a un poste y la dejaran expuesta hasta que la carne se desprendiera del cuerpo y los huesos se descoyuntaran.

Muerte de Drácula, nacimiento de Drácula

Poco se sabe del lugar donde fue enterrado Dracula. Según las crónicas rumanas, fue sepultado en Snagov, donde todavía existe, en una isla en medio de un lago y en estado ruinoso, un antiguo monasterio que había ayudado a reconstruir cuando aún vivía. En la imaginación supersticiosa de los habitantes de Snagov, sigue viva la idea de que el Empalador todavía merodea por los alrededores de la pequeña iglesia, quizá decepcionantemente tranquila.

El lago está rodeado del espeso bosque de Vlasia, y la isla de Snagov ofrece una hermosa vista. Se dice que, incluso en invierno, cuando el lago está completamente helado, un disparo de cañón desde la isla puede romper totalmente el hielo y hundir a todos los enemigos que pretendan llegar a ella. Según el folclore tradicional, el monasterio fue reconstruido por Dracul en forma de fortaleza, y dentro de sus sagrados muros se escondieron los tesoros robados a los boyardos; pero los monjes, temerosos de que estos tesoros tentaran a los turcos, los lanzaron al lago donde aún podrían hallarse.

Otros relatos de los campesinos cuentan los crímenes de Dracul en la isla. Se cree que convirtió el monasterio en una cárcel y que en sus celdas se torturó a mucha gente; el descubrimiento de esqueletos decapitados, con las calaveras colocadas junto a los cuerpos perforados, parece dar fundamento a la leyenda de que el príncipe Dracul llevó a cabo empalamientos incluso en esta isla.

Si bien se han realizado excavaciones arqueológicas en los cimientos de Snagov, no se han encontrado restos que puedan atribuirse al príncipe Dracul.

Sin embargo, existe una antigua leyenda sobre la existencia de una aterradora escuela demoníaca en las montañas, mencionada incluso por Bram Stoker en su novela, a la que al parecer asistieron los Dráculas.

> *Ellos [los Dráculas] aprendieron los secretos en la Escolomancia, entre las montañas que rodean el lago Hammanstadt, donde el diablo reclama a uno de cada diez alumnos como pago.*

En las crónicas occidentales aparecen otras referencias a esta escuela.

> *[...] se supone que existe una escuela en algún lugar de las montañas, donde el diablo en persona enseña todos los secretos de la naturaleza, el lenguaje de los animales y todos los encantamientos y embrujos mágicos imaginables. Solo admiten a diez alumnos a la vez, y cuando finaliza el curso escolar y nueve de ellos regresan a sus casas, el décimo estudiante es retenido por el diablo como pago y, montado sobre un* Ismeju *(la grafía correcta en rumano de esta palabra es* Zmeu, *que significa dragón), se convierte, a partir de este momento, en ayuda de campo del diablo [...]. Se supone que un pequeño lago situado entre las alturas de los montes de*

«Se supone que existe una escuela en algún lugar de las montañas, donde el diablo en persona enseña todos los secretos de la naturaleza, el lenguaje de los animales y todos los encantamientos y embrujos mágicos imaginables.»

Hermannstadt y de inconmensurable profundidad, es la caldera donde se forma el trueno y, cuando hace buen tiempo, el dragón duerme bajo las aguas.

La palabra Escolomancia deriva del rumano Solomari, que significa «estudiante de alquimia». Es una corrupción de la voz Salomón, el sabio juez de la Biblia que la leyenda ha convertido en alquimista. Dado que los lugares legendarios se mantienen en secreto o se camufla su verdadera localización con el nombre de una ciudad distinta, es muy posible que Drácula fuera enterrado en la escuela secreta de Hermannstadt, o que la escuela secreta estuviera situada en Snagov. Los monjes de Snagov cuentan que, incluso en nuestros días, empiezan a almacenar alimentos y otros productos a mediados de otoño en previsión de un duro invierno que los aislará del resto del mundo durante muchos meses. Además, Snagov era un antiguo centro docente. ¿Es posible que la imaginación confunda ambos lugares, entremezclando las dos leyendas para formar una tercera que describe dónde fue enterrado Drácula y explica sus misteriosas prácticas mágicas? La creencia de que Drácula asistió a la escuela de Escolomancia explicaría el paso de del personaje histórico al de ficción.

Se dice que el día más importante del campesinado rumano, y sin duda de muchos europeos, es el día de san Jorge, 23 de abril. La víspera de ese día se celebran numerosas reuniones nocturnas en cuevas solitarias o dentro de murallas en ruinas, en las cuales se practican todas las ceremonias usuales en los aquelarres de las brujas. En la noche de san Jorge, la mejor para descubrir tesoros, empiezan a arder todos los tesoros, para florecer en el seno de la tierra, y el resplandor que emiten, descrito como una llama azulada, sirve de guía a los mortales hacia el lugar en que están ocultos.

Podría suceder que esa noche un mortal en busca del príncipe Drácula viera una luz surgiendo de las aguas del lago donde se encuentra sumergido su tesoro... ya que el dragón, símbolo de Drácula, propicia esa noche todas las búsquedas.

Pero la más extraña de todas las leyendas e historias surgidas en torno a Vlad Dracul es la que cuenta que éste regresó a la zona doscientos años más tarde y que fue visto y atestiguado por muchos como el hijo de la misma familia, nacido en distintas épocas. Su aspecto era parecido al de las descripciones de su sanguinario antepasado, aunque parecía más noble y de modales aparentemente menos violentos. Las épocas en que regresaba eran tiempos más tranquilos y el nuevo príncipe Drácula encajaba bien. Estas mismas leyendas sostienen que el Príncipe de las Tinieblas nunca murió, motivo por el cual nunca se ha encontrado su ataúd (lo sigue acarreando incluso en la actualidad).

Si analizamos la naturaleza y amplitud de los crímenes cometidos por el príncipe Drácula durante su reinado, podríamos llegar a la conclusión de que fue uno de los mayores y más crueles psicópatas de la historia. Se ha calculado que sus víctimas ascenderían de un mínimo de 40.000 a un máximo de 100.000, lo que representa casi una quinta parte de la población total de Valaquia, que en la época contaba con aproximadamente medio millón de habitantes.

Pero Drácula no se limitó a los empalamientos. En el patio de Tirgoviste y en varios lugares estratégicos, como plazas públicas y mercados, había siempre estacas preparadas. Se dice que estaban bien pulidas y untadas en aceite para que las entrañas de las víctimas no resultaran perforadas y quedaran inmediatamente afectadas por una herida fatal. Al parecer, Drácula solía estar presente cuando se ataban las piernas de la víctima a dos caballos, a los que fustigaba personalmente para que salieran corriendo en direcciones contrarias, mientras los criados sostenían el cuerpo y la estaca firmemente en pie. Algunos empalamientos no se realizan a través del recto, sino del ombligo, el corazón, el estómago y el pecho.

Y es precisamente esta truculenta práctica de clavar una estaca de madera en el corazón o en algún órgano vital lo que contribuyó a la creencia de que solo se puede matar a un vampiro utilizando el mismo método. Posiblemente los incontables muertos debidos a Drácula, el Príncipe de la Tinieblas, siguen aún buscando venganza e inducen, inconscientemente, a los cazadores de vampiros a administrar el mismo castigo a los miembros de la especie Drácula. Es cierto que Drácula mató a hombres, pero también a niños, ancianos y mujeres. Estos crímenes no se olvidan fácilmente.

Drácula decapitó, cortó narices, órganos sexuales y miembros; clavó sombreros en los cráneos; cegó, estranguló, colgó, quemó, hirvió, despellejó, asó, troceó y enterró a seres vivos. Se sospecha que practicaba el canibalismo, que comía los miembros de sus víctimas y que bebía su sangre; se ha probado que obligaba a otros a comer carne humana y que solía untar las plantas de los pies de los prisioneros con sal y miel para que las lamieran los animales, lo que provocaba un sufrimiento infinito.

En resumen, la locura que se había apoderado del príncipe Drácula y que le llevó a cometer los peores crímenes de la historia fue difundida por monjes y viajeros que iban de Valaquia a Europa central, donde la leyenda de Drácula adquirió dimensiones desproporcionadas. Los eruditos y los círculos menos bárbaros europeos que se vanagloriaban de haber logrado el «renacimiento» de la humanidad, estaban sedientos de relatos de horror llegados de lugares tan lejanos como Valaquia. El monstruo histórico revivió en las páginas de los primeros relatos de horror; algunos de sus rasgos reales, como el placer casi físico que le producían el dolor y la tortura, la sed de sangre y su origen aristocrático, se mantuvieron intactos y pueden aún encontrarse en las actuales novelas de vampiros. Otros rasgos, como los colmillos largos, la mirada hipnótica y su inmortalidad, se deben en parte a la febril imaginación presente en el recuerdo de historias de horror y supersticiones medievales, y en parte a la evidencia, que se extendió por toda Europa, de que existieron realmente las criaturas chupadoras de sangre.

Además, según todos los relatos, el príncipe Drácula no fue solo un psicópata y un hombre que padecía impotencia sexual y que disfrutaba viendo cómo se introducía una estaca en los genitales de sus víctimas; existen algunos misterios que conducen al lector de lo truculento a lo sobrenatural, especialmente en torno a su muerte, a su féretro nunca encontrado y a la relación entre su muerte y una antigua escuela de aprendizaje de ocultismo, cuya existencia ha sido mantenida en secreto hasta ahora. Y es aquí donde empezamos a ver la relación final entre la muerte del príncipe Vlad Dracul y el renacimiento de su hijo: el Príncipe de las Tinieblas, el mismísimo Drácula.

Capítulo Cinco

Familia de vampiros

Los verdaderos vampiros aspiran a una existencia tranquila en los grandes salones de los recónditos castillos de los Cárpatos, o en lóbregos y espesos bosques. El anonimato es una de las más poderosas armas para su supervivencia, ya que si se descubre su existencia, su «vida» corre peligro. La tranquila e interminable monotonía de su existencia solo se ve interrumpida por la sed de sangre que les fuerza a buscar una víctima entre los mortales.

Sin embargo, como sucede con todas las cosas naturales y sobrenaturales, hay algunas excepciones, ya que ciertos vampiros solo gozan cuando ocupan un primer plano en la alta sociedad: jugar al escondite con las víctimas y los cazadores de vampiros proporciona una agradable diversión a su eternidad. El placer y la excitación de ser el más rápido, de actuar según leyes ajenas al mundo humano, les permite tener un conocimiento único de la historia gracias a la experiencia acumulada a lo largo de siglos. Sus poderes hipnóticos que paralizan a sus víctimas, su capacidad para ser invisibles, en otras palabras, para ser muy distintos de nosotros los mortales, debe resultarles muy divertido cuando se mueven dentro de los círculos humanos. Dado que muy pocos vampiros llevan este tipo de existencia tan distinta, se convierten en centro de atracción en cualquier lugar al que vayan.

Así, unos cuantos vampiros se han hecho muy famosos, y los relatos que giran en torno a su existencia han sido narrados infinidad de veces porque resultan muy gratos. Su éxito se debe no solo al hecho de ser historias de criaturas sobrenaturales, monstruosas, además de fascinantes, sino también porque estos vampiros se mueven en medios absolutamente normales, en un entorno contemporáneo. El maligno resulta quizás aún más terrorífico cuando aparece en un mundo reconocible y no en una atmósfera remota y extraña. Tomemos el ejemplo de lord Ruthven…

Lord Ruthven

Lord Ruthven es un vampiro inglés que vive en Londres, su ciudad natal. El invierno londinense está jalonado de numerosas fiestas convocadas por los personajes más importantes del *bon ton*, y lord Ruthven, un auténtico aristócrata, las frecuenta con asiduidad, más por su extraña naturaleza que por su sangre azul. Pasa los inviernos en el extranjero, preferentemente en Grecia, donde aún existen tanto lugares remotos que se pueden visitar y donde puede estar solo sin que nadie lo moleste.

Robert Polidori escribió sus experiencias en forma de ficción bajo el personaje de Lord Ruthven.

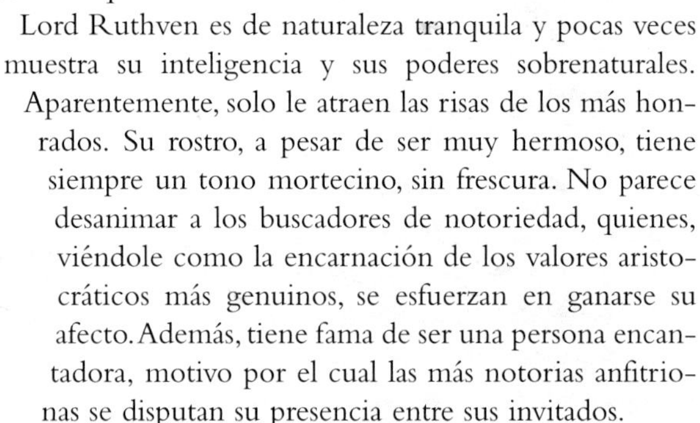

Lord Ruthven es de naturaleza tranquila y pocas veces muestra su inteligencia y sus poderes sobrenaturales. Aparentemente, solo le atraen las risas de los más honrados. Su rostro, a pesar de ser muy hermoso, tiene siempre un tono mortecino, sin frescura. No parece desanimar a los buscadores de notoriedad, quienes, viéndole como la encarnación de los valores aristocráticos más genuinos, se esfuerzan en ganarse su afecto. Además, tiene fama de ser una persona encantadora, motivo por el cual las más notorias anfitrionas se disputan su presencia entre sus invitados.

Se rumorea que lord Ruthven posee grandes dotes de seducción, además de unas costumbres muy licenciosas que lo convierten en alguien muy peligroso para las anfitrionas. Para aumentar su autosatisfacción tras la seducción, lord Ruthven requiere que su compañera de pecado sea arrojada de la cima más alta de las virtudes a los abismos más profundos de la infamia y la degradación. Sus preferencias se dirigen a muchachas inexpertas de la nobleza, aunque se sabe que también ha recibido los favores de mujeres maduras e incluso casadas. Cuando le preguntan sobre sus intenciones con las muchachas inexpertas, responde que eran las que podían suponerse en semejante menester. Y al ser interrogado respecto a si pensaba casarse con la muchacha, después de haberle arrebatado su virtud, responde con una cruel risotada. Mujeres que antes eran hermosas y alegres, están abatidas y desanimadas tras haber vivido una corta relación con lord Ruthven. Otras han enloquecido de pasión, y tras una aventura amorosa con él, solo desean la muerte.

La pasión de lord Ruthven parece encenderse al máximo cuando consigue seducir a una muchacha amada por otro hombre, especialmente si se trata de alguien que se considera amigo suyo. Lord Ruthven se vanagloria de no tener amigos, pero a veces muestra sus preferencias por alguno de sus compañeros, especialmente si atisba que va acompañado por una muchacha joven e inocente. Si el hombre trata de evitar que se quede con la muchacha, lord Ruthven lo ataca con tal vigor que podría describirse como una fuerza sobrenatural.

Muchos amantes heridos han intentado matar a lord Ruthven, y algunos incluso lo han logrado, o pensado que así ha sido. En una ocasión, los criados, cumpliendo su voluntad, trasladan el cuerpo sin vida del lord a la cima de una colina, de forma que el cadáver quede expuesto al primer débil rayo de luna que aparezca tras su muerte. Sin embargo, cuando al día siguiente su amigo sube a la montaña, no encuentra rastro alguno del cuerpo ni de las vestimentas. Llega a la conclusión de que los criados han robado las ropas del aristócrata y enterrado el cadáver para no ser descubiertos. Lo que en realidad había sucedido es que lord Ruthven había asesinado a la amante de su amigo, aunque éste no se había enterado de lo acontecido porque todo había ocurrido de noche y no había sospecha alguna de vampirismo. Es fácil imaginar el horror que se apoderó de él cuando regresó a Londres y vio a lord Ruthven en una fiesta entre un elegante círculo de admiradores tratando de ganarse los favores de su propia hermana. La historia termina con el hombre tan consternado por la pérdida primero de su amada y luego de su hermana que muere de dolor y locura, mientras que lord Ruthven sacia su sed vampírica con dos hermosas jóvenes.

Varney el Vampiro

Varney es una espeluznante criatura a quien gusta despertar a hermosas muchachas rascando con las uñas los cristales de las ventanas de los dormitorios mientras ellas duermen, imitando así el ruido del granizo golpeando los cristales, ya que lo que le gusta es atacar en las noches de tormenta. Su rostro es completamente blanco, sin sangre alguna. Los ojos parecen de metal pulido y de sus labios entreabiertos salen unos dientes aterradores, como los de un animal salvaje: de aspecto horrendo, son absolutamente blancos y en forma de colmillo.

Las uñas le cuelgan literalmente de la punta de los dedos, y le encanta hacerlas chocar unas con otras produciendo un ruido estremecedor que paraliza a la víctima.

Su terrible mirada metálica resulta tan hipnótica como la de una serpiente; tiene una fuerza sobrehumana.

Varney disfruta profanando los redondeados miembros de hermosas muchachas con su horrible virilidad, mientras emite un espantoso sonido y chupa la sangre del cuello de su víctima.

Después de alimentarse, su rostro adquiere el color de la sangre fresca y sus ojos, un brillo salvaje extraordinario. Si antes brillaban como el metal, tras el ataque son diez veces más brillantes y parecen lanzar dardos de luz. A Varney el Vampiro también se le reconoce por el horrible aullido que sale de su garganta.

El caballero Azzo

El caballero Azzo vive en el castillo de Klatka, situado en los Cárpatos, en Rumania. El castillo, embrujado y abandonado durante siglos, se encuentra situado en medio de las tierras del caballero de Fahnenberg, descendiente de una familia noble austriaca. El título de Fahnenber se hereda junto con las tierras y posesiones de la familia dentro y fuera de Austria. Cada vez que un nuevo caballero de Fahnenberg visita su castillo en Rumania, se encuentra con el extraño y exótico caballero Azzo, que ha vivido en él y ha deambulado por los bosques de sus alrededores durante cientos de años.

Al parecer el caballero Azzo es un hombre de unos cuarenta años, alto y sumamente delgado. De aspecto audaz y osado, su expresión no resulta en absoluto afable. Sus fríos ojos grises están llenos de menosprecio y sarcasmo, y su mirada es tan penetrante que nadie puede aguantarla mucho tiempo. Su tez es aún más peculiar que los ojos: no es pálida ni amarillenta sino más bien grisácea, parecida a la de un indio que haya tenido fiebre durante mucho tiempo, y resulta todavía más sorprendente en contrate con la negrísima barba y el pelo muy corto.

Se viste con ropas de caballero, pero anticuadas y descuidadas; grandes manchas de herrumbre cubren el cuello y la pechera de su armadura. Lleva una daga y una espada, al igual que todos los caballeros de verdad.

Aunque podría ser aceptado en cualquier cena de sus vecinos, el caballero de Fahnenberg y su familia, el caballero Azzo nunca come alegando que no puede ingerir alimentos sólidos y que vive solamente de líquidos.

Le gusta ser llamado Azzo von Klatka por aquellos con los que charla sobre temas existenciales, e interviene fácilmente en las conversaciones con o en presencia de mujeres jóvenes, hermosas y solteras. Sin embargo, se muestra grosero, distante, sarcástico y ofensivo con el prometido de la joven elegida, o con cualquier hombre joven que ose desafiar su ingenio o su fuerza.

Al caballero Azzo le atrae todo lo que es peculiar y poco común; habla con los lobos, que le obedecen y se comportan como dóciles corderos en su presencia. Afirma que todas las cosas son iguales; vida y muerte, uno y otro lado de la sepultura tienen más semejanza de lo que uno pueda imaginar. Se divierte cazando y se dice que pasa muchas noches de luna nueva merodeando por los lóbregos bosques y tierras pantanosas que rodean el castillo de Klatka. También le gusta cabalgar sobre un incansable caballo a la pálida luz de la luna por colinas y valles, bosques y arboledas.

El caballero no recibe ni ve a nadie a menos que la luna brille totalmente. Con la gente extraña se muestra fríamente educado y suele hablar con monosílabos. Pero su forma de hablar denota claramente su profundo odio, el terrible destino de toda la humanidad, con excepción de las muchachas jóvenes y hermosas.

Carmilla

Carmilla es un anagrama del verdadero nombre de Mircalla, condesa de Karnstein. A lo largo se los siglos se la ha conocido con mucho nombres, todos ellos anagramas del original: Millarca y Carmilla son dos de sus más famosos disfraces.

Los rasgos de la condesa no han cambiado a lo largo de los siglos transcurridos desde su «muerte». Se trata de una muchacha de extraordinaria belleza que no llega a los veinte años. Es más alta que la mayoría de las chicas de su edad, delgada y sumamente elegante; de movimientos lánguidos, *muy* lánguidos, sus grandes ojos parece que nunca parpadean, que se detienen inmóviles largo tiempo sobre los objetos. La tez es tersa y brillante; los rasgos, pequeños y bien formados; los ojos grandes, oscuros y brillantes. Pocas veces alguien ha visto un pelo semejante, espeso y largo hasta los hombros, exquisitamente fino y sedoso, de color castaño oscuro con reflejos dorados.

La voz de Carmilla es dulce y tenue, y le gusta alternar y charlar de temas inocentes. Su belleza, gentileza, modales y conversación son tan exquisitos que es invitada a asistir a muchos bailes de la nobleza.

Los vampiros femeninos fueron ganando terreno durante el siglo XIX. Se convirtieron de meras esclavas de los vampiros masculinos en asesinas por derecho propio.

Carmilla es sumamente sensual, tiende a enamorarse profunda y desesperadamente de alguna muchacha, y lo único que ansía es morir junto con ella. Le besa las mejillas, respira muy cerca de su cuello y mantienen sus manos aferradas sobre su propio corazón.

Poco se sabe de ella porque mantiene una absoluta discreción sobre todo cuanto la rodea, sobre su madre, su familia, sus orígenes, su vida y sus planes. Y se justifica diciendo que prometió a su madre no revelar nada a nadie, aunque, para no herir a sus amigos, promete contarles todo a su debido tiempo. Solo reconoce tres cosas: primera, que se llama Carmilla, o cualquier anagrama derivado de esta palabra; segunda, su familia pertenece a la más rancia nobleza; tercera, su casa está en dirección oeste.

Carmilla aparece siempre en compañía de su madre y entabla amistad con una hermosa muchacha de su misma edad, que suele vivir con su padre en un remoto castillo. Como los jóvenes, especialmente las chicas, se enamoran y encariñan al primer impulso, sus padres se sienten muy complacidos con la amistad que une a su hija y una chica tan hermosa y noble. La madre de Carmilla, requerida por un asunto urgente y de vital importancia, deja a su hija con los padres, que prometen cuidarla hasta que la anciana condesa regrese, unos meses después. Según su madre, Carmilla no puede viajar hasta tan lejos debido a su delicado estado de salud. Gracias a la amistad tan bonita y sincera hacia su hija, los padres aceptan de buen grado los deseos de la condesa, ya que la presencia de Carmilla solo puede aportar alegría a las solitarias existencias de sus hijas.

Las costumbres de Carmilla resultan bastante chocantes para los aldeanos. No sale de su habitación hasta bien entrada la tarde, toma una taza de chocolate y no come nada. Siempre que sale a dar un paseo parece sentirse cansada de inmediato y debe regresar al castillo o sentarse a descansar en uno de los bancos del jardín. También tiene la costumbre de cerrar con llave su dormitorio durante la noche, alegando que en una ocasión unos ladrones irrumpieron en su alcoba hace muchos años y siempre ha temido que volviera a suceder. Sin embargo, corren rumores de que ha sido vista deambulando de noche por los bosques cercanos, como alma en pena.

Carmilla detesta los entierros y siempre que ve alguno siente un ataque de rabia, su rostro palidece, violentos estremecimientos sacuden su cuerpo y cierra los puños con fuerza. No obstante, esta reacción dura solo unos instantes y rápidamente recupera la compostura y se comporta como si nada hubiera sucedido.

Criatura sumamente sensual, Carmilla tiende a enamorarse profunda y desesperadamente de alguna muchacha, y lo único que ansía es morir junto con ella. Le besa las mejillas, respira muy cerca de su cuello y mantienen sus manos aferradas sobre su propio corazón.

Ésta es la descripción de la pasión de Carmilla de mano de una de sus víctimas:

A veces, después de un largo período de indiferencia, mi extraña y bellísima amiga me cogía súbitamente de la mano, estrechándomela con pasión. Se sonrojaba y me miraba con ojos a veces lánguidos, otras fogosos y respiraba tan rápidamente que su vestido subía y bajaba con el jadeo. Su conducta era tan semejante a la de un enamorado, que me producía un intenso desasosiego. Deseaba evitarla, y al mismo tiempo me dejaba dominar. Carmilla me cogía entre sus brazos, me miraba intensamente a los ojos, sus labios ardientes recorrían mi mejilla con mil besos y, con un susurro apenas audible, me decía: «Serás mía. Debes ser mía. Tú y yo debemos ser una sola cosa, y para siempre». Después se echaba hacia atrás, apoyándose en el respaldo del sillón, cubriéndose los ojos con las manos y dejándome temblorosa.

Tan pronto como Carmilla se establecía en una región, se daban una serie de muertes médicamente inexplicables: mujeres que morían de repente tras una enfermedad de 24 horas. Al mismo tiempo, su amiga y compañera, la tan amada víctima de Carmilla, recibe las visitas nocturnas de lo que parece ser un enorme y siniestro gato negro que deambula por el dormitorio con el desasosiego de una fiera enjaulada. Cuando la estancia está totalmente oscura, el gato salta sobre la cama y la víctima siente el dolor de una punzada, como si dos largas agujas se clavaran en su pecho. Carmilla tiene dos facultades: puede transformarse en un gran gato negro y hacerse invisible.

La verdadera historia de Mircalla, condesa de Karnstein, es muy triste y sorprendente. Cuando aún vivía, allá por el año 1698, fue atacada por un vampiro, lo que la convirtió en uno de ellos. Un antepasado del barón Vordenburg, el hombre que había logrado matarla unos siglos después, la había amado mucho y era su ídolo. Aunque sospechaba que se trataba de un caso de vampirismo, su máximo horror era que sus amados restos fueran profana-

«Serás mía. Debes ser mía. Tú y yo debemos ser una sola cosa, y para siempre.»

dos con el ultraje de una ejecución póstuma, como era costumbre con los muertos sospechosos de vampirismo. El barón había dejado un curioso documento para demostrar que el vampiro, al matarle de nuevo, es lanzado a una vida mucho más horrible, una evidencia que había encontrado en un viejo libro sobre ocultismo. Deseoso de evitarle a su amada Mircalla tan terrible destino, se dirigió al castillo de Karnstein con la intención de exhumar su cuerpo y cambiar el emplazamiento de su tumba, que cubrió con plantas para que nadie la descubriera. Sin embargo, había escrito un diario con un plano y notas para guiar a futuros buscadores de vampiros al lugar en que se hallaba la tumba. El diario también contenía la confesión de la artimaña cometida.

La aldea situada junto al castillo de Karnstein fue abandonada tras la muerte de la condesa, y los descendientes de aquellos que la habían servido a lo largo de su vida dieron por sentado que la habían vuelto a matar por vampirismo. Como no era cierto, la hermosa Carmilla siguió asesinando a cientos de mujeres hasta que su ataúd fue encontrado, se le clavó una estaca

Fotograma de la película *Lesbian Vampire Killers* (Phil Claydon, 2009), con la actriz Silvia Colloca en el personaje de Carmilla. El film es un homenaje en forma de ironía de los grandes clásicos góticos y de terror de la factoría Hammer.

en el corazón y sus restos fueron quemados y lanzados a un río cercano. Nada se sabe sobre quién podría ser la distinguida dama que se decía madre de Carmilla.

Julia Stone

Julia Stone vive en una habitación en lo alto de una torre que todavía existe en el bosque de Ashdown, en Sussex, al sur de Inglaterra.

En la habitación hay un cuadro de ella, en el que aparece una anciana de pelo blanco. Su cuerpo trasluce una evidente debilidad, pero las viejas carnes muestran una extraña exuberancia y vitalidad, una exhuberancia totalmente maligna y una vitalidad absolutamente diabólica. El demonio brilla en su mirada lasciva y su boca demoníaca dibuja una sonrisa malvada. Todo su rostro tiene una alegría horrible. Las manos, entrelazadas sobre la rodilla, parecen saludar un indescriptible regocijo. En la esquina inferior izquierda aparece la firma del cuadro: «Julia Stone por Julia Stone».

Nadie puede descolgar el cuadro. Para empezar, resulta tan pesado que ni siquiera tres fornidos hombres pueden sacarlo del gancho del que pende. Además, el cuadro corta las manos y los miembros a cualquiera que intente moverlo, y, pese a que el corte nunca es visible, la hemorragia es considerable. Visitantes de la casa a quienes las circunstancias obligaron a dormir en la alcoba de la torre estaban tan aterrorizados a la vista del retrato de Julia Stone que querían que lo retiraran a pesar de las dificultades.

Se cuenta que Julia Stone aparece de noche, vestida con una prenda blanca muy ceñida y manchada de moho. Ataca a sus víctimas, generalmente hombres, inmovilizándolos en la cama con su fuerza sobrehumana para succionarles la sangre en la parte lateral del cuello. Siempre que hace acto de presencia, un olor nauseabundo invade la estancia y su retrato vuelve a colgar del clavo como si nunca lo hubieran tocado.

Según las crónicas locales, que se encuentran en la iglesia del lugar, se intentó tres veces, hace muchos años, enterrar el cuerpo de una mujer que se había suicidado. En cada ocasión el féretro fue encontrado a los pocos días sobresaliendo del suelo. Tras el tercer intento, para que no se difundiera lo que estaba sucediendo, el cuerpo fue enterrado en suelo no consagrado. El lugar elegido estaba justo fuera de las verjas metálicas del jardín de la casa en que había vivido la mujer. Se había suicidado en la habitación de lo alto de la torre. Se llamaba Julia Stone.

La Chica de los ojos hambrientos

La Chica es una top model de Estados Unidos, pero no se parece a ninguna otra. Es artificial. Es desagradable. Y es diabólica.

La muchacha es la cara, el cuerpo y la imagen de América, pero nadie sabe nada de ella, ni de dónde es, ni dónde vive, ni qué hace, ni quién es, ni tan siquiera cómo se llama. Nunca la han dibujado ni pintado. Todos sus retratos han sido hechos a partir de fotografías. Y tampoco la habían entrevistado hasta ahora.

Christina Fulton fue *The Girl with the hungry eyes* en el film de Jon Jacobs.

Nadie la ve, excepto un fotógrafo que se está lucrando de ello como nunca hubiera sospechado.

La chica tiene los brazos flacos, el cuello delgado y el rostro ligeramente enflaquecido, casi austero; una masa de pelo negro sobre la cara y, debajo de ella, los ojos más hambrientos del mundo. La razón por la cual aparece en todas las cubiertas de las revistas de moda son precisamente los ojos, un hambre que es toda sexo y a veces algo distinto al sexo. Todo el mundo busca en su imagen algo más que sexo.

La Chica solo ha trabajado para dos fotógrafos y nunca ha dado a nadie su nombre, número de su teléfono o dirección. Siempre llega puntual al trabajo, nunca está cansada y prohíbe a los fotógrafos que la sigan fuera del estudio, o que miren por la ventana cuando sale del edificio, amenazándolos con que tendrán que buscar a otra modelo.

Uno de los fotógrafos tiene una teoría que puede explicar el éxito de la muchacha. Supongamos los deseos de millones de personas concentrados en una persona telepática. Una chica, por ejemplo... Imaginemos que ella conoce los apetitos más ocultos de millones de hombres. Imaginémosla capaz de comprender y captar estos deseos más profundamente que las personas que los experimentan, viendo el odio y el deseo de muerte detrás de la lujuria. Imaginémosla moldeándose a sí misma para adoptar esta apariencia imagen, manteniéndose tan distante y fría como el mármol. Y aún así, imaginemos el hambre que podría sentir en respuesta al hambre de esos millones de personas. Así es como aparece la muchacha, así es como uno se siente cuando mira esos ojos hambrientos.

El primer fotógrafo que le sacó una foto, y que la hizo famosa, era el único que en realidad conocía su secreto. Se mareaba cada vez que ella estaba en el estudio y se sentía atraído y al mismo tiempo repelido. A medida que la fama de la Chica iba en aumento, el fotógrafo examinaba todos los periódicos de la mañana para ver cuántas fotografías de la muchacha realizadas por él aparecían publicadas. Se dio cuenta de que cada semana ocurrían en la ciudad homicidios a los que la policía no encontraba explicación alguna, porque la forma de matar era totalmente desconocida.

El fotógrafo estaba hipnotizado por la Chica. Intentó acercarse a ella, pero fue rechazado con una sonrisa. Hubo más intentos por parte de él y más rechazos y sonrisas de ella.

Entonces decidió seguirla, poniendo en peligro su reputación, para averiguar algo más acerca de ella. La vio que esperaba en la acera hasta que un coche, conducido por un joven, la recogió y se perdieron en la noche. Esa noche, el fotógrafo se emborrachó. A la mañana siguiente, vio en el periódico el rostro del joven: había sido asesinado.

Entonces el fotógrafo decidió arriesgarlo todo y bajar la escalera con la Chica del brazo después del trabajo. Ella le preguntó si sabía qué estaba haciendo, y él respondió que sí. Fueron a pasear por el parque; ella, muy silenciosa, se sentó en el césped y lo atrajo hacia sí. Él empezó a tocarle torpemente la blusa, pero la chica le apartó la mano diciéndole que esto no era lo que quería. Lo que quería era esto:

> *Te deseo. Deseo todo lo que te convierte en alguien especial. Quiero todo aquello que te ha hecho feliz y todo lo que te ha hecho daño. Quiero tu primera chica. Quiero esa reluciente bicicleta. Quiero esa paliza. Quiero esa cámara barata. Quiero la muerte de tu madre. Quiero el cielo azul cubierto de estrellas. Quiero tu sangre sobre los adoquines. Quiero la boca de Mildred. Quiero el primer retrato que vendiste. Quiero las luces de Chicago. Quiero la ginebra. Quiero las manos de Gwen. Quiero que me desees. Quiero tu vida. Aliméntame, cariño, aliméntame.*

Hay vampiros y vampiros, y los que chupan sangre no son los peores.

El conde Drácula: príncipe de las tinieblas

Y en último lugar, pero no por ello el menos importante, el mismísimo Drácula. Las viejas leyendas de la familia Vlad Dracul, en las que se basó Bram Stoker, cuentan que el conde era un hombre alto y viejo, con el rostro perfectamente rasurado a excepción de un largo bigote blanco —no como se le suele representar en numerosas películas—, vestido de negro de la cabeza a los pies sin el más mínimo atisbo de color en parte alguna de su cuerpo.

Stoker destaca el perfecto inglés del conde, aunque tiene una extraña «entonación» y gran encanto. Examinado de cerca, su rostro es enérgico y aquilino, con «alto puente en la delgada nariz y ventanas extrañamente arqueadas; frente despejada y abombada y escaso cabello alrededor de las sienes, pero abundante en el resto de la cabeza».

Las cejas estaban tan pobladas que casi se unían en el entrecejo y, bajo el espeso bigote, la boca de líneas crueles, unos dientes afilados y blancos que sobresalían sobre los labios, cuya rudeza mostraba una vitalidad impropia de un hombre de su edad. El aspecto general era de una palidez extrema.

La combinación de elegancia y crueldad es brillantemente presentada por Stoker en la descripción que hace de las manos de Drácula:

Entre tanto, había notado los dorsos de sus manos mientras descansaban sobre sus rodillas a la luz del fuego, y me habían parecido bastante blancas y finas; pero viéndolas más de cerca, no pude evitar notar que eran bastante toscas, anchas y con dedos rechonchos. Cosa rara, tenían pelos en el centro de la palma. Las uñas eran largas y finas, y recortadas en aguda punta. Cuando el conde se inclinó hacia mí y una de sus manos me tocó, no pude reprimir un escalofrío.

Naturalmente, el aliento era fétido, algo que seguramente debía ser bastante frecuente en una época en que el aseo personal no tenía mucha importancia. Más significativo es el hecho de que la mera proximidad de Drácula fuera la causa de que Harper casi se desmayara.

Desde que Stoker escribió su famosísima novela, el conde Drácula ha sido rejuvenecido cientos de veces, y son muchos a los que en la actualidad les encantaría creer que el vampiro más monstruoso sigue recorriendo las silenciosas y oscuras montañas de Rumania, sobreviviendo a todos los intentos de destruirle, padre de todos los monstruos, el magnífico hipnotizador, fabuloso caballero y el más vulgar de todos los asesinos. Si todavía existe, el mundo es sin duda un lugar peligroso donde vivir.

La combinación de elegancia y crueldad de las manos de Drácula está brillantemente descrita en la obra de Bram Stoker.

s: sed destructâ essentiâ annihilatur ens, ergo sicuti à
ullâ vi creatâ anima potest annihilari, ita nec spoliari
ntrinsecâ activitate. Neque b) *in actu secundo*. Nam ut
is cogitandi et volendi ab omni actione impediri possit,
eberet vel *impedimentum aliquod poni*, vel *tolli omne ob-*
ctum cogitabile vel appetibile: atqui neutrum à vi creatâ
eri potest. *Non tolli omne objectum*, nam anima est sibi
sa objectum intimè præsens, potest itaque se suasque
utationes et affectiones percipere, et ex iis mediante
eâ τοῦ *esse simpliciter*, ratiocinando ad suam contingen-
am, atque hinc ad entis necessarii existentiam et varias
us perfectiones pervenire; ergo..... *Non poni impedimen-*
m, id enim deberet poni inter animam et objectum in
od tendit: sed inter animam et animam, quæ sibi ipsa
test esse objectum in quod tendat, nihil interponi po-
t; ergo.....

[illegible]ES.

67. OBJ. 1.° [illegible] corpore non potest
stere. Nam anim[illegible] dinatur ad efficien-
n cum corpore [illegible] tam; ergo destructo
rpore, ex natura [illegible] et ipsam perire.
R. *N.* Assert. [illegible] nima ex naturâ suâ
linatur, id est, [illegible] nem habet ad effi-
ndam cum [illegible] *mpletam hominis*,
Ant. Id est, [illegible] ssariò semper
u esse conj[illegible] non enim es-

Capítulo Seis

La biblioteca del vampiro

La casa de los horrores de los aristócratas

La biblioteca de cualquier vampiro que se precie debe contener muchos libros que ejemplifiquen la larga y rica historia de la literatura sobre los no-muertos. Ya hemos tratado acerca del tenebroso mundo del conde Drácula, de lord Ruthven y de otros peligrosos personajes. Algunos de ellos son producto de la fantasía humana, en tanto que otros existieron de verdad, como la condesa Bathory.

La aparición y constante difusión de la creencia humana en las leyendas de vampiros ha sido alimentada de forma muy efectiva por la literatura. Cuando el vampiro ha sufrido cualquier forma de crisis de identidad pronto ha encontrado consuelo en las páginas de obras como *El castillo de Otranto*, escrito por Horace Walpole en 1764, que supuso un renacimiento de la novela gótica en la que los autores recurren a todo tipo de estratagemas, como drogas, dietas altas en proteínas y incluso «gas hilarante», para estimular sus fantasías.

Uno de los grupos más famosos por sacar a la luz el lado oscuro de la imaginación fue el de lord Byron, Mary y Percy Shelley y el doctor Polidori. Se dice que pasaron largas veladas a la luz de la velas frente a una gran chimenea en una villa cercana al lago de Ginebra inventando historias que serían publicadas como *Frankenstein*, de Mary Shelley, y *El vampiro*, de Polidori a principios del siglo XIX. Se usaba láudano para estimular estas extrañas fantasías y, una vez más, los sueños eran el acicate de la ficción.

Antes de su obra clásica sobre el conde Drácula, el irlandés Bram Stoker solo había escrito un libro, *Las obligaciones de los escribanos en los Tribunales de Primera Instancia de Irlanda*, título difícil de asociar hoy en día al autor de la mejor historia sobre vampiros jamás escrita. En 1890 tuvo una terrible pesadilla cuando aún trabajaba en Irlanda como gerente de una empresa, y el éxito de *Drácula* cambió totalmente su vida. Sin embargo, ésta y otras obras del mismo período estaban muy lejos de iniciar los intentos mundiales de relatar las más viejas leyendas de la historia de la humanidad.

Como veremos con más detalle en el capítulo siguiente sobre los oscuros orígenes del vampiro, la historia se inició con el mismo Adán, cuya primera esposa, Lilit, chupaba sangre y comía niños pequeños, y sus terroríficas hijas, las Lilim, acosaban a los sacerdotes en sus sueños y solían ser muy molestas.

En las culturas primitivas era costumbre derramar sangre humana como sacrificio a los dioses y a la Madre Tierra; se creía que ésta no propiciaría una buena cosecha si no se practicaban rituales estacionales consistentes en sacrificar a algún inocente.

Los orígenes primitivos que dieron lugar al folclore medieval del vampirismo (que ya hemos analizado en la primera parte de este libro) se basaban en el horror del derramamiento de sangre en sacrificios y matanzas reales, mientras que la literatura gótica o romántica sobre no-muertos aparecida durante los siglos XVIII y XIX es una versión más erótica y aceptable. En los relatos folclóricos originales, vampiros, hombres lobo y demás criaturas terroríficas saltan sobre la víctima, la cara cubierta de pelo, dejando un repugnante olor, y le abren el pecho hasta la garganta como un animal salvaje sobre la convulsa víctima. Ningún romanticismo, nada agradable, intelectual o mínimamente humano en este ataque, y probablemente todo el proceso duraba tan solo unos minutos. Sin duda nada que ver con las novelas de éxito.

En la novela gótica del siglo XIX, el vampiro se convierte en un hombre alto, delgado, bien vestido y con amplios conocimientos de temas mundanos,

En los relatos folclóricos originales, vampiros, hombres lobo y demás criaturas terroríficas saltan sobre la víctima, con la cara cubierta de pelo, dejando un repugnante olor, y le abren el pecho hasta la garganta como un animal salvaje sobre la convulsa víctima.

Max Schreck es el vampiro conde Orlok en la película *Nosferatu*, filmada en 1921 por el director expresionista alemán F. W. Murnau.

amasados a lo largo de cientos de años de viajes y cultura. Sirve vinos exquisitos y comida refinada (aunque no come ni bebe), mantiene conversaciones intelectuales con sus invitados y seduce a sus víctimas femeninas con miradas cautivadoras, ademanes sutiles y promesas de placer sexual. La forma de matar pasa de la cavidad torácica al cuello, con alusiones bastante explícitas a la penetración y a la sumisión eterna. En *Entrevista con el vampiro*, su autora, Anne Rice, llega aún más lejos y transporta la versión romántica del vampiro al siglo XX, impregnándola de maravillosos aromas de pasión, de secretos infernales y de los más profundos y oscuros reinos de la magia.

Así, los vulgares vampiros de escritores como Tournefort de finales del siglo XVII, que se alimentan de animales, beben ingentes cantidades de alcohol y desprenden un hedor pestilente, se convierten en seductores de tez pálida bien rasurada, vestidos con frac y pajarita.

El vampiro aristocrático alcanza más celebridad que sus menos deseables antepasados gracias en parte al más sobresaliente lord del siglo XIX, el poeta Byron, que destacó por su fama tanto de escritor como de seductor. En las crónicas de sociedad del París y del Londres del siglo XIX se decía que había asesinado a su amante y bebido su sangre en una copa hecha con su calavera.

Las historias y rumores sobre Byron recibieron el impulso de una serie de acontecimientos literarios y amorosos que hoy en día adornarían las portadas de la prensa más amarilla. La tórrida y desastrosa aventura amorosa entre lord Byron y lady Caroline Lamb finalizó en 1815 tras muchas desavenencias. Lady Caroline escribió una novela gótica titulada *Glenarvon* en la que parodiaba de forma bastante obvia a su ex amante en el personaje llamado Clarence de Ruthven, lord Glenarvon. El libro fue publicado en las primavera de 1816.

A finales de aquel mismo año, Polidori escribió su versión de las febriles actividades de lord Byron en *El vampiro*, cuyo protagonista se llamaba simplemente «lord Ruthven», del que ya hemos tratado. Es obvio que Polidori se basó directamente en el libro de lady Lamb para el personaje de Ruthven. Pero hay que decir algo más sobre esta compleja historia de intriga aristocrática. El libro de Polidori permaneció inédito durante tres años y luego fue publicado por el mismo editor del libro de lady Lamb, que lo sacó a la luz como si hubiera sido escrito por el mismo Byron. Lord Ruthven se convirtió en una especie de Batman vampírico, y el personaje fue retomado con distintas formas por varios autores famosos en toda Europa durante el resto del siglo XIX, hasta que se estableció una conexión directa con el concepto de Byron como vampiro aristocrático.

Todo ello sirvió para traer a nuestras vidas actuales la aristocrática y erótica criatura de las tiniebla.

En las páginas de la literatura de este mismo período romántico aparecen otros vampiros a los que ya hemos hecho referencia. *Varney, el vampiro*, de James Malcolm, fue publicado en 1846 en forma de *penny-dreadful*, o folletín por entregas, que llegó a tener un total de 800 páginas y fue muy criticado por su contendido, en gran parte extraído directamente del *El vampiro* de Polidori. La serie también retoma una de las más famosas escenas del relato original de *Frankenstein* de Mary Shelley, la del salto dentro del Vesubio.

El grupo formado por lord Byron, Mary Shelley y Polidori, reunido en una villa cercana al lago de Ginebra, parece ser en gran medida responsable de la literatura de vampiros de finales de aquel siglo.

Pero el libro de James Malcolm sobre Varney no era un plagio sino que formaba parte de la cadena de creatividad que contribuyó a dar vida al mis-

Uno de los aspectos más destacados de Drácula es su sexualidad. Tanto por su aterradora aristocracia como por su carácter nocturno, se ha convertido en uno de los personajes más sexys de la historia de la literatura de ficción.

mísimo conde Drácula. Dentro de los horrendos giros que va tomando la historia, aparece cierto conde húngaro que también es un vampiro, el primero en la literatura inglesa de vampiros. Sir Francis Varney, el vampiro aristocrático de la novela, no es exactamente un Drácula, aunque muchas características de la historia de Varney pueden encontrarse en la obra maestra de Bram Stoker. Uno de los aspectos más importantes de esta reacción en cadena era la idea de que un vampiro de sexo masculino podía hipnotizar a una víctima de sexo femenino y luego, mediante una mezcla de atracción sexual e intercambio de sangre, crear una relación tormentosa de amor y odio. Cabe observar que esto era otra encarnación de los valores patriarcales y sociales tan fuertes en el siglo XIX.

El Drácula literario

Las fuentes de Bram Stocker para su novela sobre Drácula proceden de la realidad, la ficción y sus pesadillas. Según los modernos estudiosos de la literatura, realidad y ficción van desde remotos libros de viajes, como *Untrodden Paths in Romania*, con abundante información sobre el increíble Vlad Dracul el Empalador, hasta *Midst The Wild Carpathians*, que examina desde la ficción los hechos demoníacos de la vida en Hungría. Muy probablemente, el conde Azzo von Klatka, del que ya antes hemos hablado brevemente, proporcionó algunos de los métodos usados por Drácula con sus desgraciadas víctimas, y también se dice que Bram Stoker se inspiró en la novela clásica *La dama de Blanco,* de Wilkie Collins. Sin embargo, Drácula en ningún caso es un subproducto de otros personajes.

En 1890, año de su terrible pesadilla, Stoker trabajaba como gerente de la empresa de Henry Irving, uno de los actores de teatro más famosos de la época. Christopher Frayling sugiere en su libro *Vampyre* que el comportamiento teatral del conde en la obra de Stoker —capa y voz chillona— puede haberse basado en el de su maestro en la vida real. Esta caracterización teatral era tan solo una pequeña pieza del puzzle que dio lugar al inimitable conde. Como ya hemos visto, lo demás se basa en la «actividades» del príncipe hún-

Considerado el autor más destacado del género, las fuentes de Bram Stoker para escribir su obra provenían de la realidad, de la ficción y de sus propias pesadillas personales.

garo Vlad, descendiente del huno Atila. Pero el conde Drácula vivía en Transilvania y no en Hungría, era conde, no príncipe, y es impensable que Drácula matara a sus víctimas de forma tan sanguinaria como Vlad el Empalador.

No obstante, en esta extraordinaria combinación de realidad y horror imaginario hay otro aspecto que posiblemente se debe a otra fuente. Stoker sufría una de las más desagradables enfermedades de la época, la sífilis.

En el siglo XIX, la sífilis era lo que en la actualidad es el sida, o la peste bubónica en la Edad Media. Era incurable, y quien la padecía tenía una muerte terrible. Posiblemente Stoker, que se hallaba en la fase terciaria de la sífilis, tuvo acceso a la única condición humana que se parece realmente al vampirismo, la sífilis congénita.

Un niño con sífilis congénita nace con algunas disfunciones horribles, muchas de ellas tan similares a las descripciones antiguas de vampirismo que bien hubieran podido servir a Stoker como una fuente genuina sobre los «rumores» que rodean a los no-muertos.

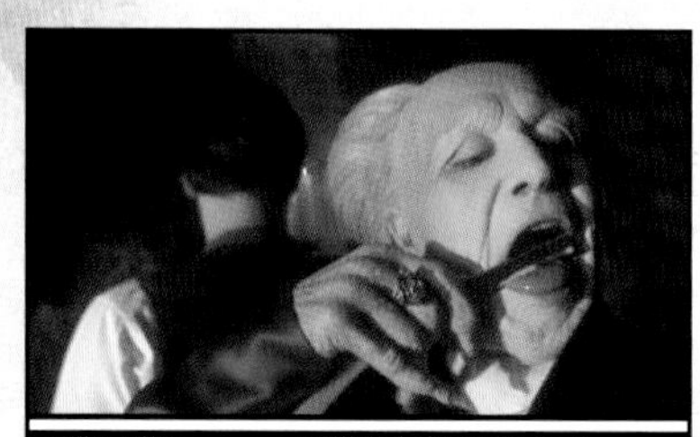

El extraordinario universo creado por Stoker en su novela fue representado con maestría en el film *Dracula de Sam Stoker* de Francis Ford Coppola.

El bebé puede nacer con los dientes delanteros como si fueran incisivos (llamados dientes de Hutchinson), puntiagudos y alineados en la mandíbula superior e inferior exactamente igual como los que lucen tradicionalmente los vampiros. Los ojos suelen ser pálidos y con ojeras. El resultado es fotofobia, o sea, quien la sufre solo ve en la oscuridad. El paladar está deformado, de modo que solo se pueden ingerir líquidos, y el puente de la nariz, hundido. Los niños que nacen con sífilis congénita hacen que la piel del pecho de la madre se pudra.

Esta horrible afección se asemeja tanto al vampirismo que muy bien hubiera podido ser la base de las leyendas vampíricas surgidas a lo largo de los siglos. En el caso de Bram Stoker podemos conjeturar con bastante fundamento que el escritor estaba muy familiarizado con la sífilis dada su «íntima» relación con esta enfermedad.

En contraste con estos desagradables transtornos, otra faceta destacada del conde Drácula era su sexualidad. El terrible aristócrata de los bosques tenebrosos y de las noches sanguinarias era una de las criaturas más lascivas de la literatura gótica de ficción. Probablemente el conjunto de combinaciones más extrañas que cualquier lector hubiera esperado encontrar, Bram Stoker creó un Drácula que tenía partes de animal, de lord de sangre azul, de asesino en serie, de aberración genética, de ser inmortal y una gran dosis de amante seductor e impetuoso. A medida que Bram Stoker iba elaborando el lado oscuro de su sueño, quizá surgido de lo más profundo de su propia y extraña vida, el puzzle del personaje de Drácula tomaba su aspecto final con la clara inferencia del dominio sexual sobre sus desgraciadas víctimas (aunque quizá para Stoker eran muy afortunadas).

Todas las mujeres que hacen el amor con Drácula, como por ejemplo Lucy Westenra, se convierten en inmortales, con una belleza despampanante, una juventud eterna y mucho más atractivas que antes de que el sanguinario vampiro hubiera cometido su cruel acto. Como en todo lo «victoriano», aquí Stoker no hace mención directa alguna al vampiro manteniendo relaciones sexuales con sus víctimas, pero las descripciones sobre la succión de sangre a través de la profunda penetración de los incisivos lo dicen todo sobre actividades simultáneas más placenteras.

El vampiro de Polidori

Las siniestras actividades del lord Ruthven del *Vampiro* del Dr. John Polidori son aún más relevantes (aunque quizá menos conocidas) que las del *Drácula* de Bram Stoker.

John Polidori había nacido en el seno de una familia italiana inmigrante que vivía en el Soho, un barrio del centro de Londres. Su padre era un traductor de cierto talento y fama, y John fue a temprana edad a la universidad a estudiar medicina. De hecho, fue uno de los estudiantes más jóvenes de la Inglaterra de aquel tiempo en graduarse, ya que consiguió el título a los 19 años, en 1815. Poco después de dejar la Universidad de Edimburgo se convirtió en el médico personal de lord Byron, el temperamental y aristocrático poeta junto al cual vivió un tumultuoso medio año. En verano de 1817, John abandonó su misión y regresó a Londres a recrear sus experiencias en la vida de lord Ruthven.

La historia se basa claramente en el período de tiempo que pasó con Byron, aderezada con cierto «jugo» y considerable enojo, ya que Byron no era una persona para la que resultara grato trabajar.

Polidori no intentó publicar su relato y empezó a escribir una novela titulada *Ernestus Berchtold* que se perdió sin dejar rastro. En 1820 daba claras muestras de sufrir graves trastornos mentales y murió en agosto de 1821 a los 25 años de edad. Se cree que pudo suicidarse con ácido prúsico, aunque hay indicios de que no fue realmente así.

A esta corta y trágica existencia vino a sumarse el comportamiento de los editores de lord Byron, y, posteriormente, de la sociedad literaria de París. El relato titulado *Vampiro* fue publicado en 1819 con el nombre de Byron (aunque Byron no supo que él era el supuesto autor, ni siquiera después de su publicación) y alcanzó un gran éxito en París.

El éxito literario hizo que se atribuyera el libro a lord Byron y que se insistiera en que nadie más podía haberlo escrito, ignorando completamente a Polidori. Se publicó una novela larga (febrero de 1820, *Lord Ruthven ou Les Vampires,* dedicada a lord Byron) a modo de «novela basada en la película» y aparecieron al mismo tiempo unas tres obras de teatro que se representaron simultáneamente en tres salas de París: *Le Vampire* en el teatro Porte-Saint-Martin, *Le Vampire* en el Vaudeville y *Les Trois Vampires* en el Variétés, todas ellas basadas en las hazañas de Ruthven. Es muy posible que todo esto, que sucedía a sus espaldas, condujera a Polidori al ácido prúsico y a una temprana muerte. Los honorarios por haber escrito la historia original y pagados de forma retrospectiva por el editor fraudulento ascendieron a lo que hoy serían unos 50 euros.

En la actualidad estas actuaciones fraudulentas serían motivo de juicios multimillonario.

La obra de Polidori puede ser considerada como la contribución individual más relevante al culto del vampiro aristocrático, erótico y monstruoso que prosiguió a lo largo del siglo XIX y que sigue siendo una de las bases de la ficción romántica y de terror gótico de nuestros días. Incluso las obras de Anne Rice y de Stephen King, escritores de novelas de terror actuales, deben mucho al desgraciado Dr. Polidori.

Los honorarios de John Polidori por haber escrito la historia original y pagados de forma retrospectiva por el editor fraudulento ascendieron a lo que hoy serían unos 50 euros.

Sin embargo, el aterrador espectro de muerte evocado por los escritores del siglo XIX tiene poca o ninguna relación con el vampiro «real». De hecho, si analizamos la etimología de la palabra «vampiro», veremos que la raíz común en la mayoría de lenguas mediterráneas está formada por «vam», que significa «sangre» y «pir», monstruo, y este monstruo sanguinario no eran en absoluto ni aristocrático, ni sexy, ni culto ni inmortal, sino sencillamente un ser muy, muy repugnante.

Capítulo Siete

Unos orígenes inquietantes

En el capítulo anterior analizamos cómo ha imaginado la humanidad sus vampiros favoritos en los últimos siglos. La persistente imagen del poderoso, elegante pero a la vez animalesco vampiro sigue viva, aunque los relatos sobre sus ancestros más remotos sean muy distintos.

En las páginas más sombrías sobre el maligno sobrenatural, no existe una tradición más terrible que la del vampiro, un paria entre todos los demonios. Sus estragos son pavorosos, y bárbaros son los métodos tradicionales comúnmente aceptados que debía utilizar la gente para librarse de esa plaga espantosa. Incluso en la actualidad, en algunas regiones del mundo y en remotos lugares de la propia Europa, como Transilvania, Eslovenia y las islas y montañas de Grecia, el campesino tomará la justicia por su mano para destruir completamente esta carroña siniestra que, según se cree firmemente, surgirá al anochecer de su profana tumba para infectar el vampirismo por todo el campo. En la Antigüedad, los asirios ya mencionaban a los vampiros que también estaban al acecho en los primigenios bosques mexicanos antes de la llegada de Cortés. Tanto los chinos como los indios y malayos temen a los vampiros, mientras que los relatos árabes cuentan de forma reiterada cómo los demonios necrófagos acosan las ominosas sepulturas y las encrucijadas solitarias para atacar y devorar a los desafortunados viajeros.

Este párrafo introductorio da inicio al libro de Montague Summers titulado *The Vampire – His Kith and Kin* (publicado en Londres, en 1928, por la editorial Paul Kegan, Trench, Trubner y Cia), que constituye un magnífico resumen de los inquietantes orígenes de este «no-muerto». Así que el lector debe estar preparado para adentrarse ahora en el más auténtico y tenebroso reino, el más resbaladizo, viscoso, rezumante de sangre callejón sin salida de todas las legendarias encrucijadas que haya conocido la humanidad.

La naturaleza del vampiro

Uno de los primeros debates sobre el mito del vampiro está relacionado con los intentos de definir exactamente su naturaleza. La definición fue un asunto de gran importancia, tanto en la Europa medieval como a principios del pasado siglo, cuando se publicó el libro de Montague Summers. En ambas épocas, el recurso a la razón constituyó el método idóneo para dar por descontado la irracionalidad del diablo. En otras palabras, si algo se puede definir, quizás es posible controlarlo.

La primera cuestión a dilucidar fue si se podía considerar al vampiro como un ángel caído. La respuesta inmediata fue que no lo era, aún cuando éstos podían generalmente contar entre ellos con el intrépido «Nick»: el diablo adoptaba una naturaleza corpórea, mientras que los ángeles no lo hacían. Los vampiros tenían un cuerpo sólido. Así pues, los ángeles fueron liberados al menos de este pavoroso destino.

Quizá podría considerarse al vampiro como un demonio disfrazado. Para decidir si esta «vestimenta» potencialmente inhumana es adecuada para el menospreciado «no-muerto», debemos preguntarnos cuáles son las características demoníacas. Se sabe que los demonios penetran en los cuerpos de los vivos y se apoderan de ellos, pero no tienen cuerpos propios. Los demonios son, por así decirlo, una especie de avisos post desahucio con tendencia a convertirse en ocupas. Pero podríamos decir lo mismo de los vampiros, porque la posesión vampírica tiene lugar, o así se nos ha hecho creer, una vez que el espíritu del difunto ha retornado y vuelve a ocupar su propio cuerpo o el de otro pobre

¿Se puede considerar al vampiro como un ángel caído?

desafortunado. No obstante, existe una diferencia. El demonio puede entrar y salir mientras que el vampiro permanece dentro del cuerpo que ocupa. Por tanto, los demonios pueden estar tranquilos de que este terrible sino no les afecta. De cualquier modo, es necesario señalar que los demonios y los vampiros tienen mucho en común y sin duda pueden percibirse juntos en medio de una helada noche, simulando una sonrisa cómplice, cruzando caminos brumosos y presumiblemente conversando sobre asuntos de lujuria y horror.

Ahora bien, ¿qué sucede entonces con los fantasmas y otros espectros? ¿Existe alguna posibilidad de que éstos compartan el polvoriento ataúd de los vampiros? La respuesta es negativa, ya que los fantasmas también son «incorpóreos». De hecho, el vampiro *sí* tiene un cuerpo, el suyo propio. Y en ocasiones incluso puede sentirse orgulloso de él, como en el caso de lord Ruthven. Pero este cuerpo no está ni vivo ni muerto. Vive en la muerte, casi como si el vampiro hubiese cruzado al otro lado y hubiese llevado un cuerpo con él.

Una vez que llegaron a esta conclusión, escritores y «mitólogos» plantearon, a veces a través de estimaciones intrincadas, cómo examinar la condición de los no-muertos. Si la muerte era considerada por los seres vivos como un lugar de reposo y, según se aceptaba, los vampiros seguían viviendo en la muerte, el destino de los vampiros no era realmente agradable. En los círculos teosóficos en particular, el poder de la razón fue socavado por el dogma, y los debates tendieron a estar sobrecargados de planteamientos fanáticos. Se suponía que, en cualquier circunstancia, debía aceptarse que no era deseable una vida inmortal porque así lo establecía la Iglesia. Por la misma razón, mostrar un excesivo interés en las relaciones sexuales era considerado también como algo malvado, y la habilidad de los vampiros para aplastar y en general dominar a la seres humanos normales no era realmente algo bueno, aun cuando la propia Iglesia medieval se pasaba el tiempo torturando y aterrorizando a todo aquel que estuviera a su alcance en toda Europa. Dios se podía permitir hacerlo, pero desde luego nadie más.

Así pues, los vampiros fueron una imagen especular de los peores temores de la gente piadosa. Los vampiros eran peligrosos, sexualmente lascivos, enormemente poderosos, absolutamente despreocupados de la dignidad humana y la salvación de las almas y finalmente.... muertos. Precisamente fue este último aspecto de su naturaleza lo que los convirtió en algo extraordinariamente fascinante para los creadores de leyendas. Los vampiros habían superado el mayor estigma de la vida, ese lugar tenebroso que nadie sabía explicar, y, por tanto, solo podía haber una posible conclusión: tenían que ser muy infelices.

Hubo que esperar hasta el romanticismo gótico de los tiempos de Byron para que unos pocos de los escritores más imaginativos decidieran que quizás el vampirismo podía ser una condición deseable y que, teniendo en cuenta el persistente poder de la Iglesia, el placer de la pasión sexual inmortal debía ser destruido finalmente clavando una estaca en el corazón del vampiro. No se podía permitir que alguien como lord Ruthven llegara a sobrevivir, porque en definitiva podría persuadir a demasiada gente de que ser un vampiro estaba bien.

De modo que si nos adentramos en los orígenes más tenebrosos de la historia vampírica tendremos que afrontar para empezar el fenómeno de la muerte.

Muerte y sangre

Si tenemos en cuenta que el hombre expresa el temor a cometer malas acciones a través del sentimiento de culpa, podemos comprender por qué el hombre primitivo pudo interpretar que su capacidad de matar se tornaba finalmente en temor a aquellos a quiénes había quitado la vida porque podían volver para acosarlo. Si descuartizo a un animal, puedo temer que este animal se vengará de alguna manera. Después de todo, uno valora la vida como lo más preciado. Aún peor, si mato a un ser humano, es muy probable que el alma del difunto se vengue de mí chupándome la sangre, que es en definitiva la savia de mi vida.

Por consiguiente, es fácil encontrar referencias a los orígenes de los vampiros en los albores de la humanidad, cuando el hombre intenta comprender el sentido de la vida y la muerte. A lo largo de su vida, el hombre primitivo observaría a su alrededor las acciones de sus familiares y amigos. En algún momento también constataría el hecho de que alguien del grupo dejaba de moverse y yacía en el suelo. El cuerpo se tornaba estático. ¿Pero cómo era posible que la vida se detuviera repentinamente?

La magia ritual y la religión están íntimamente ligadas, siempre con la presencia del diablo detrás de todo desde su oscura maldad. Su presencia es una suerte de recordatorio de que los límites existen más allá de lo que la humanidad puede imaginar.

¿Seguro que algo reemplazaba el cuerpo y continuaba viviendo en algún lugar no visible? De esta forma nació el alma, invisible y sagrada, en algún lugar después de la vida, porque la vida era dura y azarosa, y por tanto, por contraste, lo que sucedía después de la vida debía ser bueno y fácil: el cielo.

Asimismo, algo que podía ir al cielo debía tener alternativamente la opción de ir al infierno, y en este último lugar yace todo aquello que la humanidad ha considerado no merecedor de sus fantasías, ideas que no ha osado concebir, frutos prohibidos. Aquí se encuentra también la semilla del vampiro, sepultada en tierra profana en medio de toda la inmundicia de la muerte anónima.

Las tribus antiguas adoraban a sus muertos tanto como a sus dioses, y los reyes fueron especialmente venerados. En realidad, la humanidad ha mantenido esta inclinación porque ha seguido venerando a reyes y presidentes, e incluso jefes de gobierno, y continúa haciéndolo en la actualidad a través del estudio de la historia y de la erección de estatuas en su honor. Seguimos manteniendo una adoración por los muertos, que yazcan en paz. El mito del vampiro continúa vivo porque seguimos respetando lo que sucede después de la muerte, quizá mucho más que lo que sucede durante la vida.

¿Cuántos dioses han sido venerados mediante sacrificios sangrientos? Para que la tierra siguiera proporcionando cosechas abundantes, la sangre de la humanidad debía esparcirse por los campos. La Madre Tierra convertida en vampiro.

Entre las tribus africanas, los ovambo, asentados en las regiones bantúes de África suroccidental, cortan la cabeza y los miembros del muerto para restringir el retorno de demasiados espíritus al mundo de los vivos. Creen que es necesario llevar a cabo un cuidadoso control del número de espíritus o en caso contrario habrá consecuencias negativas. Ésta debe ser una de las muestras más tempranas de ideas religiosas que se incorporaron a la leyenda vampírica moderna. Uno de los pocos métodos infalibles para acabar con un vampiro es cortarle la cabeza y los miembros. De esta forma el espíritu no puede «marcharse» y nunca más causará daño. La tribu de los cafres cree que sus muertos pueden retornar y rejuvenecerse bebiendo sangre humana, y que resucitan precisamente para ingerir el líquido humano. Los cafres se asustan ante la sangre humana derramada y tratarán de cubrir una simple gota que caiga al suelo, aunque proceda de una leve hemorragia nasal o de un corte en la mano.

Las tribus aborígenes australianas conocían las vigorizante propiedades del consumo de sangre para el ser humano.

Para casi todas las culturas del mundo, la sangre ha sido la auténtica base de la superstición y la magia.

> *Porque la vida de la carne está en la sangre: por eso Yo digo a todos los hijos de Israel: no comáis la sangre de ninguna carne, porque la vida de la carne está en la sangre y cualquiera que ose comerla perecerá.*

Todos los animales tenían que ser desangrados antes de comerlos, y solo las peores prácticas del culto de la magia negra utilizan la sangre de las criaturas sacrificadas en sus rituales.

Pero todo tiene siempre su contrario. Las tribus aborígenes australianas reconocen la naturaleza vivificante de la sangre para los seres vivos y prestan poca atención a los muertos, en la creencia de que la muerte es meramente una etapa más en el camino. Como parte de sus rituales fúnebres raspan el cuerpo del difunto poco después de la muerte, para que la sangre se derrame por el suelo. La idea consiste en que la sangre ayudará a su alma a recorrer la siguiente etapa del viaje.

Denominaciones de vampiro

Al final del capítulo anterior hicimos una breve referencia al origen de la palabra «vampiro». Como ya mencionamos, en muchas de las lenguas mediterráneas, la raíz procede del significado de «monstruo sanguinario». En casi todas las otras lenguas, como las pertenecientes a los territorios más próximos al hogar de Drácula, existen significados similares. La referencia más temprana a este término surge en Eslovenia, en la forma magiar «vampir», que es la misma en ruso, polaco, checo, serbio y búlgaro, con algunas variantes: «vapir», «vepir», «veryr», «vopyr», «upier». En la variante lituana hay una versión interesante de la idea del vampiro no realmente como un monstruo sanguinario sino como un borracho de sangre. La palabra que da origen a la idea de vampiro es una mezcla de «wempti», que significa beber, y «wampiti», gruñir o runrunear, y se pronuncia con una entonación similar a la del borracho. En Croacia, el término utilizado para representar al vampiro es «pijauica», que significa alguien rubicundo por efecto del alcohol. En Albania, el nombre del vampiro significa muerto inquiero, y en Grecia y los territorios circundantes no existe una palabra para designar al vampiro.

En otras lenguas europeas, el nombre ha sido siempre relativamente similar: «vampyr» en danés y sueco, «vampir» en alemán, «vampire» en francés, «vampiro» en italiano, español y portugués, «vampyrus» en latín moderno. La mayoría de los diccionarios definen la voz vampiro como:

Espectro o ser sobrenatural de condición maligna (a veces representado como un cadáver animado) que, según creencia popular, se alimenta y causa daño chupando la sangre de las personas que están dormidas. Un hombre o una mujer con dotes similares.

El linaje de los vampiros

Nos referimos a la Edad Media como la «Edad de las Tinieblas» precisamente porque así fueron estos tiempos. Todo el acervo de la civilización romana fue destruido al final del Imperio y por más de cuatro siglos Europa pareció adentrarse en un mundo de oscurantismo y caos.

Muchas de las más viejas tradiciones que habían pervivido desde los tiempos de babilonios y asirios se cultivaron durante este período, a medida que la magia adquiría tonos cada vez más tenebrosos, las brujas se volvían más poderosas y los monstruos aparecían por todas partes. Existían incluso descripciones detalladas de las condiciones en que los muertos podrían resucitar.

Ya seas un fantasma no enterrado,
O un fantasma por el que nadie se preocupa,
O un fantasma sin nadie que le haga ofrendas,
O un fantasma sin que nadie le vierta libaciones,
O un fantasma que no ha dejado posteridad,

O:

Aquel que yace en una zanja,
Aquel al que no cubre ninguna tumba,
Aquel que yace descubierto,
Cuya cabeza no está cubierta de polvo,
El hijo del rey que yace en el desierto,
O en las ruinas,
El héroe al que han matado con la espada,

O:

El que haya muerto de hambre en prisión,
El que haya muerto de sed en prisión,
El hambriento que en su hambre no haya olido el olor de la comida,
El que la orilla de un río haya dejado sucumbir,
El que haya muerto en el desierto o en el pantano,
El que la tormenta haya sumergido en el desierto,
Una mujer que no tiene marido, un hombre que no tiene esposa,
Aquél que tiene prosperidad y aquel que no posee nada.

¡Era realmente difícil no ser un vampiro en aquella época!

El linaje de los vampiros puede establecerse fácilmente en términos generales. Si hubiera existido un vampiro durante todo el período histórico en que se conocen referencias de la tradición vampírica, éste tendría más o menos unos 3.000 años en la actualidad. Hasta donde podemos documentarnos, los pueblos que vivieron durante los imperios babilónico y asirio fueron los primeros que tuvieron que afrontar a espíritus malignos y muertos vivientes.

Las mismas tradiciones del «Ekimmu», los persistentes merodeadores de las antiguas civilizaciones, sobrevivieron hasta la Edad de las Tinieblas y más allá en la Europa Oriental, donde todavía se encuentran referencias en la actualidad Rumania y Transilvania. La mención de diversos tipos de monstruos que aparecen durante la noche violando, chupando sangre y asesinando finalmente a sus víctimas, se puede encontrar en los últimos años del pasado siglo en la sociedad estadounidense, a pesar de que apenas se encuentran referencias a los vampiros en la historia del país. El vampiro moderno está representado por el asesino en serie que seduce a personas inocentes en sus hogares, las humilla de una u otra forma, las asesina y después se come su cuerpo. En realidad, el vampirismo apenas ha cambiado en el transcurso de los últimos tres milenios. Lo único que ha variado han sido las formas en que las distintas culturas se han relacionado con el vampiro y sus amigos.

En la antigua Asiria se utilizaron conjuros contra cualquier espíritu diabólico que se reencarnara y se aprovechara de la carne humana.

El «Ekhimmu» sale de los infiernos cuando tiene hambre y sed y cuando no se hacen ofrendas y sacrificios en su tumba, por lo que el monstruo se alimentará de carne y sangre humanas. El mismo sistema de creencias existió en la antigua mitología china, especialmente entre los budistas. Y aquí encontramos uno de los orígenes de la idea de que los vampiros solo pueden sobrevivir de noche. Se cree que sus dominios comenzaban al ocaso y finalizaban cuando despuntaban al alba los primeros rayos de la mañana, que conducían al vampiro de nuevo a su tumba. De hecho, el verdadero inicio de esta superstición es la del culto al dios Sol, que tenía poder sobre todas las actividades de la tierra, entre ellas incluso la facultad de apagar el fuego doméstico, hacer que los paraguas atrajeran potencialmente la mala suerte y muchas otras facultades ahora olvidadas (la antigua superstición de no abrir un paraguas en el interior de la casa estaba relacionada con el hecho de que éste era utilizado originalmente por los sacerdotes como sombrilla para protegerse del sol extremo. Abrir el paraguas en el interior era insultar el poder del sol).

Pero de todas las manifestaciones de pavor conocidas a través de la ascendencia de los no-muertos, una de las más terribles fue la relacionada con la naturaleza epidémica del ataque vampírico. Si el vampiro lograba chupar suficiente sangre de su víctima, ésta se convertiría a su vez en vampiro.

La peste bubónica, conocida como la «peste negra», atacó Europa procedente del Extremo Oriente en diversos períodos catastróficos de la historia medieval, convirtiéndose en una especie de regulador del crecimiento de la población. Llegaba a una zona rural como un vendaval oscuro y nocivo, mataba a cientos de desventurados en unas pocas semanas y desaparecía. Fue el mal más temido de la época, y nadie parecía capaz de hacerle frente. Se cuenta que durante el siglo XIV la peste llegó a matar a alrededor de una tercera parte de la población mundial y se creía que podía acabar con toda la humanidad antes de desaparecer.

Es interesante constatar que muchas de las características del vampirismo tradicional parecen surgir en China (así como en Asiria), en coincidencia con el origen de la primera peste bubónica que llegó al mundo occidental.

Oriente

En el cuento popular indio titulado *Vikram y el Vampiro* el monstruo se llama «Baital-Pachisi» que tiene un origen hindú antiguo. Según el relato, el héroe *Raja* encuentra a la criatura colgada cabeza abajo de la rama de un árbol, en un estilo muy indio. La escena sucede así:

> *Estaba colgado boca abajo de una rama situada apenas por encima de él. Sus ojos permanecían completamente abiertos, eran de color marrón verdoso y nunca parpadeaban; su pelo era también marrón así como su cara, con diversas tonalidades que se sucedían unas a otras de una forma desagradable, como si fuera un coco reseco. Su cuerpo era delgado y membranoso, parecido a un esqueleto o un armazón de bambú, y al mantenerse colgado de la rama con la punta de los dedos de las patas, como zorro volador, sus prominentes músculos aparecían tensados como las cuerdas de un arco. Aparentemente no tenía sangre, porque si la hubiera tenido este líquido tan especial se le habría agolpado en la cabeza; y cuando Raja le tocó la piel, tuvo una sensación de frialdad helada y húmeda como la de una serpiente. El único signo de vida fue el movimiento de su rasposa cola parecida a la de un macho cabrío. Teniendo en cuenta todos estos rasgos, el valeroso rey reconoció en seguida que la criatura era un Baital, es decir un Vampiro.*

«Los vampiros también estaban al acecho en los primigenios bosques mexicanos antes de la llegada de Cortés.”.

En Malasia, por el contrario, los vampiros fueron representados como mosquitos gigantes, por razones comprensibles. El «Pennanggalan» era una cabeza humana sin tronco con un estomago colgado del cuello; el monstruo volaba alrededor de sus desventuradas víctimas, particularmente niños, para chuparles la sangre. Según su descripción puede pensarse que fue especialmente creado para asustar a los niños si no se portaban bien y sin otra razón de ser.

Entre los miles e imaginativos mitos de Oriente existe uno que nos ofrece una versión femenina de vampiro llamada «Langsuir», representada por una mujer muy bella, que alumbró a una criatura muerta y se quedó tan apenada que tomó forma vampírica y se alejó volando, permaneciendo el resto de sus días colgada de los árboles. Aparecía siempre con un vestido de color verde y tenía unas uñas muy largas (un signo de belleza en Malasia), como garras. Su pelo era negro azabache y le llegaba hasta los tobillos, cubriéndole un agujero en la parte posterior de cuello a través del cual chupaba la sangre de los niños.

En la descripción que conocemos de este vampirismo femenino hay algo que indica una especie de menosprecio de la fuente original, ya que el método aconsejado por el autor para hacer frente a la «Langsuir» incluye cortarle la cabellera para tapar con las mechas el agujero del cuello, además de cortarle las largas uñas. La descripción concluye con la siguiente frase:

> *... una vez hecho esto, la mujer vampiro quedará silenciosa y sumisa, como si fuera una mujer normal...*

El agujero situado en la parte trasera del cuello puede deberse simplemente a un giro desde la parte delantera, y la necesidad de cortarle las garras hasta la raíz podría ser una metáfora de la insumisa conducta femenina de complicarle la vida al autor. La vampiro femenina procede de esta fuente masculina sexista, y la posterior versión europea refuerza este enfoque en un formato similar:

> *Según creencia popular, si una mujer muere durante el parto, bien sea antes o después del nacimiento de la criatura, y expira antes de los 40 días de la nueva menstruación, se convertirá en una «langsuyar», una diablo voladora de la especie de la «dama blanca» o «banshee». Para prevenirlo se colocan cuentas de cristal en la boca del ca-*

En el cuento popular indio titulado *Vikram y el Vampiro* el monstruo se llama "Baital-Pachisi", nombre que tiene un origen hindú antiguo.

dáver, se pone un huevo de gallina debajo de cada axila y se clavan agujas en las palmas de las manos. Se cree que si se hace todo esto, se impedirá que la mujer muerta se convierta en una «langsuyar», porque no podrá abrir la boca para gritar, agitar los brazos como alas ni abrir y cerrar las manos para ayudarse a levantar el vuelo.

En la tradición de Polinesia se encuentra el «tu» o «talamaur», que come trozos de sus víctimas y se convierte en una especie de «amigo» o familiar. Su hábito favorito es comer la carne de una persona recién fallecida para absorber así la vitalidad final del cuerpo.

Por último, quizá la fuente más convincente de la tenebrosa existencia de la leyenda del vampiro está en la región del Caribe, donde la tradición del vampirismo procede de los territorios africanos pertenecientes a lo que a principios del siglo XX se conocía como Guinea y el Congo, y que fue mantenida por los esclavos. En la isla de Granada, el vampiro se conoce con el nombre de «Loogaroo» y parece que esta desagradable criatura es un híbrido de algunas supersticiones de los colonos franceses y de las procedentes del «vudú» africano, que trataban de eliminar. Los «loogaroos» son seres humanos, en especial femeninos, que han hecho un pacto con el diablo por el cual reciben poderes mágicos a cambio de ofrecer a su dueño sangre caliente y fresca cada noche. La única forma de proteger la casa del ataque de estos monstruos es esparcir arroz y arena en la entrada. El «loogaroo» no podrá entrar hasta que no haya contado cada grano y se supone que esta tarea le obligará a estar contando hasta el alba, cuando la luz del sol le obligará a retirarse rápidamente.

Capítulo Ocho

Cómo matar a un vampiro

Me pregunto, ¿cómo se puede matar al miedo? ¿Cómo puede uno disparar al corazón de un espectro, cortar su fantasmal cabeza, apretar su espectral garganta? Es una empresa que uno acomete mientras duerme, y de la que uno se alegra de escapar lleno de sudores y temblores. La bala no ha partido, la espada no ha sido forjada, el hombre no ha nacido; incluso las aladas palabras de la verdad caen a tus pies como trozos de plomo. Para afrontar tan desesperado encuentro necesitas una hechizada y calibrada vara que esté impregnada de una mentira demasiado sutil como para pertenecer a este mundo. ¡Una empresa digna de un sueño, mi señor!

En efecto, ¿cómo vamos a matar a nuestro vampiro cuando nos encontremos con él, si ni siquiera estamos seguros de que sea una visión, un sueño, una pesadilla, o un atisbo de realidad «demasiado sutil como para pertenecer a este mundo...»?

A lo largo de los siglos, la gente ha ideado diferentes métodos para impedir que los cadáveres se conviertan en vampiros, algunos de los cuales hemos mencionado anteriormente. De una región a otra se han practicado numerosos y a menudo contradictorios procedimientos, probados una y otra vez, y por muchas muertes que haya podido causar el monstruo, algunas otras se han debido salvar gracias a la observancia de estas prácticas. Cuando todo lo demás falla, hay que matar al vampiro. A continuación exponemos algunos de los métodos de eficacia probada para erradicar al maligno. Tanto para prevenir como para preparar la acción final, se deben seguir fielmente una serie de pasos. Hay que tener siempre presente que nos enfrentamos a fuerzas sobrenaturales y por tanto debemos traspasar simbólicamente los límites de la experiencia humana e imbuirnos de propiedades mágicas para tener éxito en la empresa. Si los vampiros son criaturas que moran en la semi existencia, como ya hemos demostrado, entonces tenemos que atacar en el mismo dominio, y recordar que «la bala no ha partido, la espada no ha sido forjada y el hombre no ha nacido». Sin embargo sabemos que algunos vampiros han sido ejecutados, o mejor dicho se les ha hecho «descansar en paz», ya que según se suele creer, el alma del vampiro está sufriendo en un estado delirante, incapaz de liberarse del mortal nudo terrenal que identifica nuestra propia existencia aquí. Así pues, la condición vampírica es aborrecible y tortuosa para el propio vampiro, y por tanto ¿qué mejor servicio puede uno prestarle a la criatura que la liberación de su alma?

Prevenir el regreso de los muertos

Existen numerosos y variados métodos para espantar al diablo y prevenir que los cadáveres se conviertan en vampiros. Entre ellos se cuentan la mutilación del cadáver, el control físico, ciertos rituales fúnebres singulares e incluso la burla destinada a engañar al mundo de los espíritus.

Una de las prácticas más utilizadas, cuyos orígenes se remontan a las épocas más antiguas de los pueblos primitivos, es la de colocar objetos en las tumbas. Se cree que el propósito era complacer al cadáver para impedir su retorno y para espantar a cualquier fuerza diabólica que osara interferir.

Las cuerdas que ataban los miembros del cadáver en raras ocasiones estaban anudadas, porque según se creía esto dificultaría la posibilidad de que el difunto tuviera una cómoda transición hacia la otra vida.

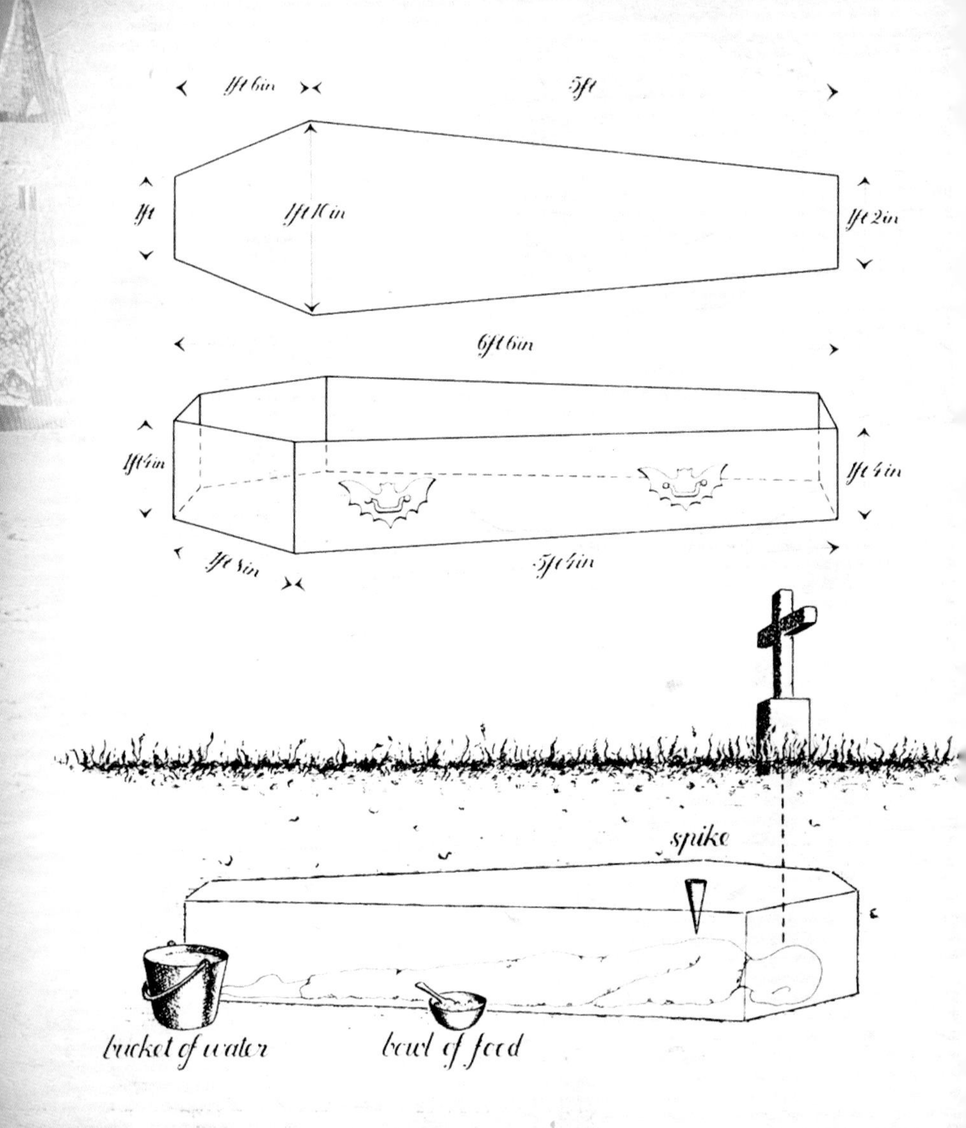
1ft 6in
5ft
1ft
1ft 10in
1ft 2in
6ft 6in
1ft 4in
1ft 4in
5ft 4in
spike
bucket of water
bowl of food

En la Grecia antigua se colocaban monedas en la boca del cadáver. De esta forma, el difunto podía pagar con este regalo al barquero Caronte para que lo cruzara a la otra orilla de la laguna Estigia y así su alma podía descansar en paz después de la muerte.

En numerosas regiones del mundo se proporciona alimentos al cadáver porque se cree que el otro mundo es similar al nuestro y que los muertos también necesitan comer. La creencia se basa en que la existencia de alimentos en la tumba evitará que el difunto se alimente de humanos vivos. Los alimentos pueden ser sólidos o líquidos, y se depositan en vasijas y jarras. Es interesante señalar que a menudo se han encontrado en las tumbas semillas de amapola, posiblemente elegidas por su supuesto efecto narcotizante. Esto estimularía al cadáver a permanecer «dormido» en la tumba en lugar de rondar por el mundo de los vivos.

En aquellas regiones donde eran especialmente temidos, el difunto solía ser enterrado boca abajo para evitar que los potenciales vampiros pudieran salir de la tumba. De este modo no podría encontrar la forma de salir del ataúd.

Según la mentalidad antigua, si el muerto necesitaba alimentarse significaba que también necesitaba trabajar. En muchos pueblos rurales se enterraba en la tumba una guadaña, como símbolo arquetípico de la época de la cosecha. Posiblemente éste sea el origen de la representación de la muerte como un esqueleto con una guadaña, la «lúgubre segadora» de vidas.

Tanto los alimentos como las herramientas de trabajo estaban destinados a mantener al cadáver ocupado y satisfecho para que no tuviera deseo de volver al mundo de los vivos. Estas prácticas presuponían que todos los muertos tenían un auténtico deseo de retornar y seguir viviendo, y esto sucedería a menos que se tomaran medidas específicas para evitarlo.

Uno de las medidas útiles para prevenir que los potenciales vampiros pudieran chupar la sangre de los vivos fue clavarles una espina debajo de la lengua. A ningún vampiro le gusta que sus víctimas le claven cosas, aunque teniendo en cuenta su enorme fortaleza y sus poderes hipnóticos, es poco probable que las víctimas pudieran tener muchas oportunidades de clavarles una espina.

Rumania inventó un «método automático para agujerear vampiros», consistente en una o varias afiladas estacas de madera, similares a las utilizadas por

En muchas culturas de todo el mundo, incluida la nuestra, el cadáver es sepultado bajo grandes rocas. Nuestras propias sepulturas de piedra, decoradas con ángeles de la paz, son en cierto modo reminiscencias de esta tradición y se supone que el ángel traerá paz al alma del difunto y la ayudará a transitar desde la muerte al más allá.

el príncipe Drácula para sus empalamientos, colocadas de manera adecuada en el ataúd de forma que cuando el cuerpo intentara salir, se clavaban automáticamente y lo «mataban», evitando así que los aldeanos estuvieran en una alerta permanente para hacer frente a una posible aparición de vampiros.

En muchas ocasiones se han encontrado esqueletos yacientes en sus tumbas con las rodillas y/o las muñecas atadas, y cadáveres enrollados en una alfombra, como ha sucedido en Bulgaria. Se trataba de prácticas claramente destinadas a impedir *con firmeza* que el cadáver saliera de la tumba y pudiera atacar a víctimas de las aldeas próximas. Las cuerdas que ataban los miembros del cadáver en raras ocasiones estaban anudadas, porque según se creía esto dificultaría la posibilidad de que el difunto tuviera una cómoda transición hacia la otra vida. La diversidad de prácticas en los rituales funerarios plantean frecuentes interrogantes. En Vrancea, una región de Rumania, se cree que es imprudente llorar por el difunto. Familiares y amigos tienen que danzar y cantar para que los espíritus malignos de la vecindad crean que están presenciando una fiesta en lugar de un funeral. En ocasiones, un par de hombres fuertes toman en brazos al difunto para danzar juntos con la esperanza de que los espíritus crean que no está muerto.

Por otra parte, en las regiones meridionales de Italia, España y Grecia, así como en muchos otros países católicos, se considera que es contraproducente no llorar durante el funeral. Por eso se contratan plañideras que gimen de manera ruidosa en la procesión detrás del difunto para que éste sienta que ha sido realmente amado y añorado, y no tenga la tentación de retornar. Mejor muerto!

En la antigüedad y en regiones tan diversas como Europa occidental, América Latina y Egipto, la muerte fue considerada como un lento proceso de transición de un estado (vida) a otro (muerte). En estas sociedades, el entierro, que tiene lugar enseguida después de la muerte, es algo temporal y provisional, y el funeral delimita un amplio período durante el cual la persona no está plenamente viva, ni plenamente muerta. En este espacio de tiempo, el cadáver se descompone y la carne va desapareciendo hasta que solo queda el esqueleto. Esta etapa marca, a su vez, otros rituales de un segundo enterramiento en el que se cubren los huesos del difunto mediante otros ritos y se trasladan a un nuevo lugar donde permanecerán alojados para siempre.

En las regiones meridionales de Italia, España y Grecia, así como en muchos otros países católicos de América Latina, se considera que es contraproducente no llorar durante el funeral.

El primer lugar de enterramiento es el que despierta realmente más temores en la imaginación de los aldeanos y por esta razón se suele situar más lejos del perímetro del pueblo en comparación con el segundo, con el fin de asegurar que los espíritus no puedan encontrar el camino de vuelta a casa. Se cree que en el primer caso el muerto buscará el tránsito de esta vida al más allá y por eso éste es el período más delicado, ya que cualquier cosa puede disturbar su transición y obligarle así a retornar al mundo de los vivos.

En muchas culturas de todo el mundo, incluida la nuestra, el cadáver es sepultado bajo grandes rocas. Nuestras propias sepulturas de piedra, decoradas con ángeles de la paz, son en cierto modo reminiscencias de esta tradición y se supone que el ángel traerá paz al alma del difunto y la ayudará a transitar desde la muerte al más allá.

Existen muchas razones *naturales* para que la gente crea que en el primer enterramiento el difunto no está en realidad muerto. El fenómeno conocido como *ignis fatuus* (fuegos fatuos), observado a menudo durante la noche alrededor de las tumbas recién cerradas, es una de estas posibles razones. Se creía que estos pequeños fuegos representaban la llama del alma todavía viva incluso después de la muerte, de la misma forma que las hadas aparecen a los seres humanos con un halo transparente o como llamitas danzantes sobre las corolas de las flores durante la noche. La ocurrencia de estos dos fenómenos se daba por descontado como algo natural, y todavía se cree así; pertenecían al mismo tipo de apariciones supernaturales de un mundo desconocido, pero cuya existencia corría en paralelo al nuestro. Ahora sabemos que la descomposición del cuerpo humano emite una gran cantidad de metano, un gas muy inflamable, que al mezclarse con otros gases entra en ignición, y que cuando sale a la superficie se mezcla de nuevo con el oxígeno, que a su vez enciende el metano.

Otro de los fenómenos naturales que hizo creer a la gente que el difunto no estaba realmente muerto fueron los movimientos experimentados por las tumbas de reciente construcción. Existe un período de tiempo durante el cual la tumba experimenta cierto número de ajustes y reasentamientos que pueden originar algunas grietas en la superficie de las piedras utilizadas. Esto fue interpretado como signos inequívocos de que el muerto estaba intentando escapar de su sepultura.

Por otra parte, se creyó que el segundo enterramiento era un lugar de paz, ya que el muerto había completado con éxito su transición y que no solo había encontrado descanso sino que se encontraba a salvo del mundo de los vivos. Así, se procedía a realizar la exhumación del lugar del primer enterramiento y se incineraban los restos, cuyas cenizas se guardaban en urnas.

En numerosos cementerios modernos existe una forma organizada de tratar todo lo relacionado con los restos humanos a medida que se ha ido disponiendo de mayor espacio; las exhumaciones son una actividad normal y después de un período adecuado, que puede oscilar entre siete y veinte años, se pueden sacar los huesos de la tumba y una vez incinerados se colocan en otro lugar. ¿Hasta qué punto esto se hace simplemente por razones prácticas o más bien tiene que ver con rituales practicados sin interrupción desde los antiguos tiempos de los celtas? En Italia, por ejemplo, en muchos cementerios se sigue practicando la exhumación del cadáver después de un cierto tiempo y se procede a quebrar los huesos que han quedado para que ocupen menos espacio y se vuelven a enterrar en ataúdes más pequeños. Sin duda, esto está relacionado con prácticas antiguas.

Fue precisamente durante estas exhumaciones cuando se descubrieron los vampiros. En estos casos, lo lógico habría sido encontrar un esqueleto, así que uno puede imaginar la sorpresa que produciría a los enterradores encontrar un cuerpo incorrupto. Para prevenir que esto ocurriera, muchas culturas optaron por utilizar un método seguro como la incineración. El cuerpo era incinerado inmediatamente después de la muerte y antes de enterrarlo con el fin de evitar que se convirtiera en un muerto viviente y pudiera volver a vivir. De hecho, las culturas que queman a sus muertos nunca se han visto afectadas por epidemias vampíricas. Sin embargo, la incineración no es una cuestión tan sencilla, porque la energía necesaria para aplicar esta práctica es relativamente alta: en promedio, «un cuerpo adulto de unos 73 kilogramos, incinerado en un horno de gas apropiado, con recirculación de gases a altas temperaturas, se convierte en cenizas en unos tres cuartos de hora, con una combustión sostenida de alrededor de 870 grados centígrados». Así pues, la destrucción total del cuerpo fue casi impracticable en la antigüedad, y por esta razón muchas piras de madera, como ocurre en el sub-continente indio, tuvieron que ser rociadas con aceite para facilitar la combustión del cuerpo, porque el problema no es la magnitud del fuego sino más bien la capacidad de generar bastante calor durante el tiempo suficiente para convertir el cadáver en cenizas. No obstante, en muchos países, especialmente en aquellas aldeas afectadas por plagas vampíricas, la incineración era impracticable y los aldeanos se veían forzados a enterrar a los muertos, corriendo el riesgo de que pudieran retornar.

Prevenir el ataque de los vampiros

Si a pesar de todas las acciones mencionadas los muertos se conviertan en vampiros, existen otras medidas para evitar su ataque.

Algunas substancias están consideradas como efectivas. Entre ellas destaca el ajo, el cazador de vampiros por excelencia, uno de los productos más utilizados. Los vampiros aborrecen el ajo y su olor les parece tan detestable que nunca se acercarán a una casa protegida con ellos. Los ajos se introducían en la tumba como una medida disuasoria, pero también se colgaban del cuello de los familiares del difunto, en las habitaciones, especialmente en las ventanas, en las puertas y en los cabezales de las camas. También se frotaban con él los marcos de puertas y ventanas e incluso la piel de los animales de la granja para prevenir que fueran atacados.

El ajo se utilizó para detener todo tipo de epidemias. Tanto en la época de las grandes pestes como durante los tiempos de aparición de los vampiros, la gente añadía ajos a la dieta y se colgaba «collares» hechos con ellos. Se sabe que ciertas propiedades del ajo constituyen una especie de antibiótico natural y por eso se incluye en los alimentos necesarios para una dieta sana.

Como ya hemos señalado, existen muchas similitudes entre la peste y una epidemia de vampiros, porque en el caso de esta última se creía que «se contagiaba» como si fuera un virus mortal. Se pensaba que el mal olor, el «olor a muerte», asociado a la peste era la causa de la enfermedad, ya que se desconocía todavía su verdadero origen. Para prevenirla, la población utilizaba substancias con olores fuertes en la creencia de que serían un buen antídoto. El ajo fue uno de estos productos, aunque en realidad la verdadera medicina no fue su olor sino sus propiedades saludables. Otra de las hierbas ampliamente utilizada fue el acónito, que se colgaba y utilizaba de la misma forma o conjuntamente con el ajo. También se colocaban cuchillos de plata debajo de los colchones y en las cunas para reforzar las barreras anti vampiros.

Algunas películas del género han extendido la creencia de que los vampiros temen el crucifijo. Sin embargo apenas existen pruebas de que esto sea así, tanto en la tradición popular como en la ficción relativa al tema. En verdad, la Iglesia católica y Dios, desgraciadamente, tienen poco que ver con el vampirismo, excepto quizá que ciertas oraciones podrían ayudar al muerto a no retornar, tal como parecen sugerir determinadas plegarias recitadas en los funerales para que el alma descanse en paz para siempre. De modo que no hay mejor manera de acabar con el vampirismo que eliminar a los vampiros.

Aquel vampiro que haya sido solo medio-asesinado porque su verdugo ha huido despavorido, es miles de veces más peligroso que un vampiro normal.

Matar al vampiro

El método clásico y suficientemente probado para matar al vampiro consiste en clavarle una estaca en el corazón. Las posibilidades dramáticas de tal situación han sido siempre irresistibles tanto para los escritores como para los

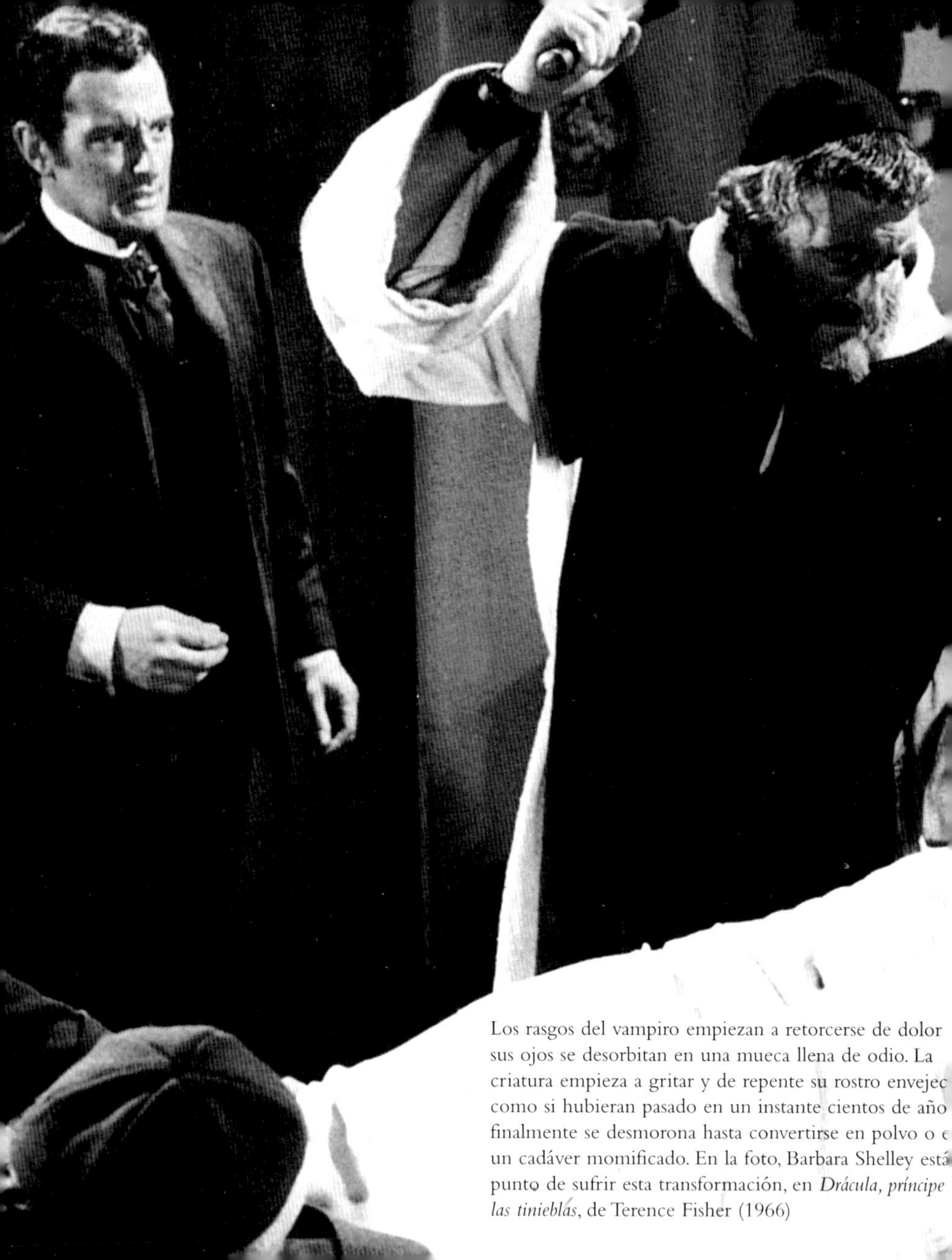

Los rasgos del vampiro empiezan a retorcerse de dolor sus ojos se desorbitan en una mueca llena de odio. La criatura empieza a gritar y de repente su rostro envejec como si hubieran pasado en un instante cientos de año finalmente se desmorona hasta convertirse en polvo o e un cadáver momificado. En la foto, Barbara Shelley está punto de sufrir esta transformación, en *Drácula, príncipe las tinieblas*, de Terence Fisher (1966)

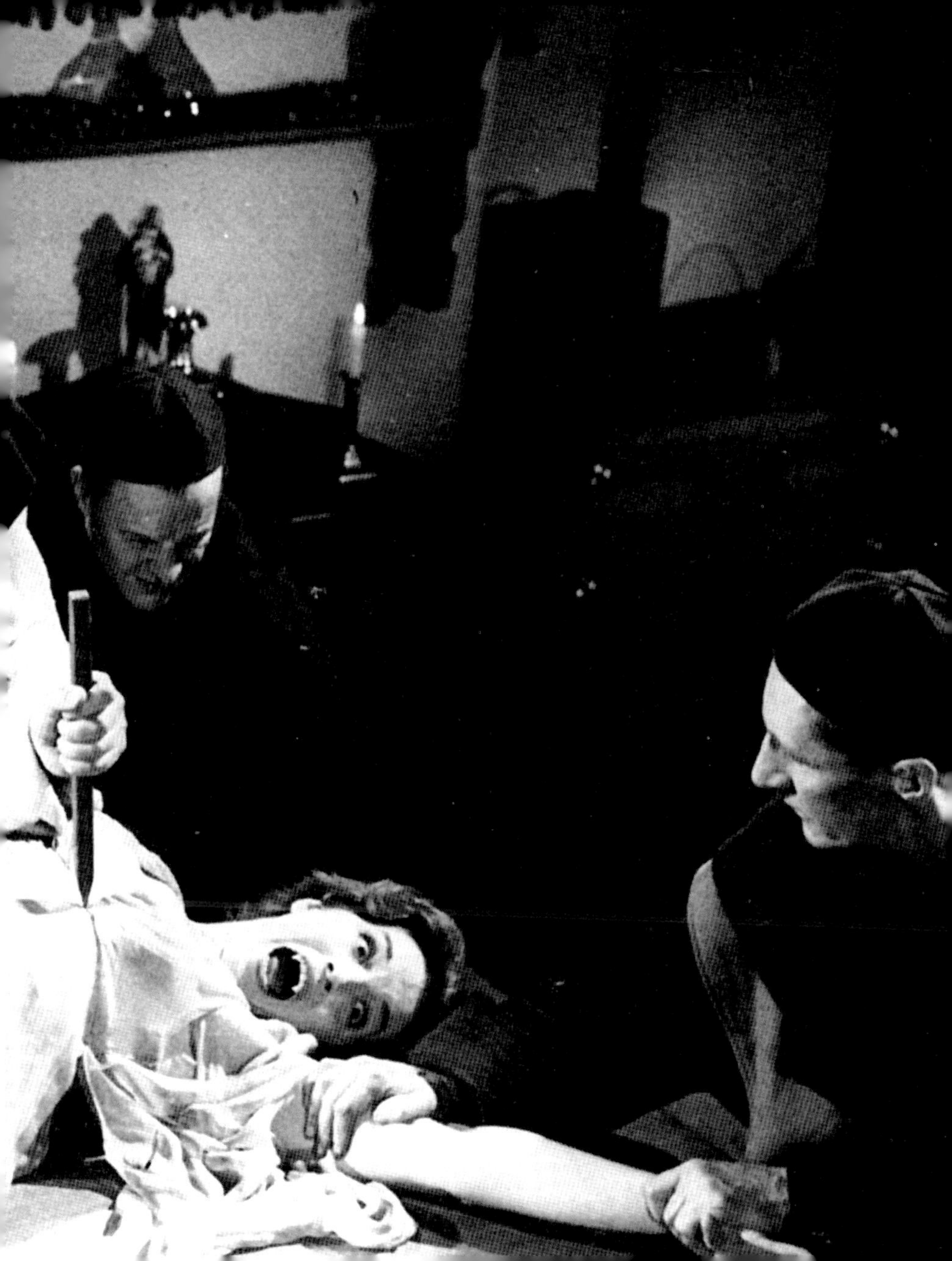

Una vez se le ha clavado la estaca a la terrible criatura, pueden tomarse a continuación una serie de medidas adicionales, como por ejemplo trocear el corazón, quemarlo y esparcir sus cenizas en las aguas de un río.

directores de cine. El vampiro aparece representado yaciente en su ataúd, elegantemente vestido con un esmoquin, mientras que su valiente asesino le traspasa el corazón con una estaca y se la clava hasta el fondo con un mazo. Los rasgos del vampiro empiezan a retorcerse de dolor y sus ojos se desorbitan en una mueca llena de odio. La criatura empieza a gritar y de repente su rostro envejece, como si hubieran pasado en un instante cientos de años, y finalmente se desmorona hasta convertirse en polvo o en un cadáver momificado.

En realidad el proceso de clavar la estaca al vampiro no es tan sencillo como parecen sugerir las películas de terror habituales. Un viejo trozo de una valla de madera o la pata de una silla rota no servirían. Por ejemplo, en Rusia y en la región del Báltico, la madera apropiada para esta operación es el fresno debido a sus propiedades mágicas. Por otro lado, en Silesia las estacas deben ser de roble, y en Serbia, de espino, por las propiedades de este arbusto, ya que los vampiros tienen una fuerte alergia a las espinas.

Si no se dispone de una estaca, se sabe que un puñal de plata también sirve para matar a un vampiro, aunque la operación es más difícil, pues la mayoría

de los relatos sobre el uso del puñal de plata se refieren sobre todo al mito del «hombre lobo», un tema que necesitaría por sí solo otro libro como este. En suma, clavar una estaca hasta el fondo en el centro del corazón del vampiro es con mucho el mejor método para eliminarlo.

La hinchazón de los cuerpos en las tumbas, una prueba de la posesión por el vampiro, se consideraba un intento del alma, o cualquiera que fuese la criatura poseída, para escapar. El agujero creado por la estaca proporcionaría una buena salida. Ciertamente, los ejecutores de vampiros pueden apreciar con toda claridad que «algo» escapa cuando agujerean el cuerpo en descomposición.

Sabemos que en algunos relatos que describen la muerte del vampiro se dice que una vez que la estaca ha agujereado el cuerpo, la sangre surge a borbotones. Esto puede deberse a la presión acumulada en el cuerpo por los gases originados por la descomposición.

El famoso gemido vampírico, que ocurre cuando la estaca ha agujereado el corazón, se debe a la compresión de los pulmones por el fuerte choque y a la presión casi explosiva del aire y los gases para salir a través de la traquea, que produce, lógicamente, un chillido no muy diferente al grito de terror que emitiría una persona viva. No obstante, podría ser que el vampiro gimiera auténticamente porque su alma alcanza la tan anhelada liberación. Sin duda puede haber tanto una razón científica como una buena explicación irracional, y no hay motivo para suponer que cualquiera de las dos sea falsa... o verdadera.

Una vez se le ha clavado la estaca a la terrible criatura, pueden tomarse a continuación una serie de medidas adicionales. Se puede trocear el corazón, quemarlo y esparcir sus cenizas en las aguas de un río. En 1874, un príncipe rumano se vio forzado a exiliarse en París porque sus compatriotas creían que los miembros de su familia se volvían vampiros después de la muerte. El joven príncipe se arrancó el corazón cuando estaba moribundo para evitar convertirse en un vampiro. Antes de actuar frente a un vampiro, algunas personas lo cubren con un sudario o una tela para evitar que al agujerearlo la sangre que brote pueda mancharles y convertirlos también en un vampiro.

Consumada la operación de clavar la estaca, se considera que arrojar los cuerpos al fuego o al agua son dos buenos métodos adicionales para acabar con el vampirismo.

Una vez consumada la ejecución, la víctima tiene que untar las heridas de su cuello con la sangre recuperada del cadáver, en realidad su propia sangre fluyendo todavía en las venas de otra persona, único remedio que puede curar los mordiscos del vampiro.

Ahora bien, lo más importante: ¿quién tiene que ser el ejecutor? Se cree que debe ser una persona motivada, el amante de la víctima o la propia víctima, ya que alguien que busca vengarse es más probable que aguante el terror y el espanto hasta que se cumpla finalmente la ejecución.

Epílogo

Hemos llegado al final de nuestro viaje pasando por los mitos, las leyendas, los hechos reales y las historias sobre vampiros. Nuestra fascinación por estas criaturas de la noche, que pueblan nuestro mundo en los límites del tiempo, el espacio y el espíritu, y que habitan la delgada línea entre el amor y la muerte, es aparentemente interminable. Los vampiros están siempre entre nosotros, y mi intuición me dice que siempre lo estarán.

El enorme éxito mundial de los libros de la serie *Crepúsculo* (*Twilight*), de la autora Stephenie Meyer, repetido también en la versión cinematográfica de 2008 dirigida por Catherine Hardwicke, testimonia el efecto hipnótico que ejercen los vampiros sobre millones de lectores, los cuales son sumergidos en un pozo donde lo sobrenatural se funde con lo humano gracias a la narración sobre los forcejeos amorosos de los protagonistas, Bella y Edward.

Los vampiros han sido retratados como «archiseductores» en el filme *Drácula de Bram Stoker*, basado en la novela original, de 1897; como aristócratas melancólicos, en la película *Entrevista con el vampiro (Crónicas vampíricas)*, inspirada en la novela homónima de Anne Rice; como estrellas del rock, en el film *La reina de los condenados*; como terroríficos y pálidos muertos vivientes en *Nosferatu*, el clásico filme mudo del cine alemán, que es quizás uno de las más inquietantes adaptaciones cinematográficas sobre los vampiros; o como las

Sarah Michelle Gellar es Buffy Summers en la popular serie de TV *Buffy Cazavampiros.*

criaturas de la noche del ya también clásico *Nosferatu, vampiro de la noche*, de Werner Herzog. En internet, hay numerosos sitios web que tratan sobre sucesos, imágenes, anécdotas e historias vampíricas. Como declaramos al principio de nuestro libro, los vampiros no son un fenómeno puntual, sino que están por todas partes, y siempre han existido en todas las culturas. Los vampiros disfrutan de eterna juventud en libros y películas, y también en sitios de internet, e incluso en series de televisión, como la popular *Buffy Cazavampiros*. Podemos estar seguros de que ellos viven en nuestro mundo real también, no solamente en los medios de comunicación, sino en los bosques, las pequeñas aldeas, los subterráneos de las ciudades..., quizá en los precarios márgenes de nuestra sociedad, pero muy firmemente establecidos.

En nuestro recorrido, hemos visto que los vampiros viven en el lado oscuro de nuestro mundo, y debemos considerar que habitan también en las sombras de nuestra psique. Ese erótico rito de chupar la sangre, esa seducción que lleva del amor a la muerte, ese rechazo a abandonar el mundo terrenal y marcharse plácidamente al otro mundo tras morir..., esos son los hilos de un modelo de conducta que podemos reconocer en relaciones impregnadas por la lucha de poder, la dependencia y el predominio de uno sobre el otro, así como en aquellas relaciones que se resisten a acabar aun después de haberse agotado tanto emocional como psíquicamente. A menudo estas tendencias de dependencia psicológica aparecen como consecuencia de un duelo psíquico insoportable, por ejemplo, cuando una persona ha experimentado un acontecimiento profundamente traumático del cual nunca se ha restablecido. Entonces, un «vampiro interior» aparece en los sueños o en los sueños lúcidos, en los miedos, en la relación con uno mismo o con los otros: la personalidad cae «poseída» por el vampiro interior que trágicamente nos desgarra la psique sin soltarla nunca. La única vía para la curación es recuperar cierta sabiduría antigua que reconoce la existencia de un vampiro interior, pero que también sabe acabar con él: perforando su corazón con una cruz, el símbolo de la fe. Es ciertamente la fe y el amor propio lo que nos puede salvar de las garras de estas criaturas demoníacas. Los espíritus malignos tratarán de oponerse, como hemos visto en este libro, pero es posible vencerlos con una gran determinación y un gran sentido del optimismo frente a lo oscuro y lo adverso.

Realmente, los vampiros existen y están por todas partes, y siempre podremos caer víctima de ellos y de lo que representan. Dado su oscuro poder de seducción, debemos reconocerlos como las criaturas de las sombras que son; rechazar su presencia en nuestras vidas es lo que la gente ha intentado (como se muestra en las crónicas de este libro) durante siglos.

Escuche a las sombras, vislumbre ese movimiento solo intuido por el rabillo del ojo, observe esos bultos que se mueven en la oscuridad: todos ellos están ahí. Protéjase y sea consciente de que ésta es una lucha antigua, iniciada ya en tiempos inmemoriales, entre el hombre y el vampiro.

Otros títulos de HISTORIA enigmas

Nostradamus Maya
Spencer Carter

Descubra qué misterios envuelven a la civilización maya y cuál es el verdadero significado de sus profecías.

Los sacerdotes mayas predijeron el fin del mundo entre el 21 y el 22 de diciembre del año 2012. ¿Qué significado tiene esa profecía? ¿Cuál es el mensaje cósmico y filosófico que nos dejaron los mayas? Pero "Los amos del tiempo mágico", como eran conocidos, no anunciaban una catástrofe que haría desaparecer la humanidad, no predecían el fin del mundo, sino el fin de este mundo, tal y como lo conocemos ahora. En esa fecha sucederá un fenómeno cósmico excepcional que se produce cada 26.000 años. El surgimiento de esta «nueva era» quizá dependa en parte de nosotros mismos y sea nuestro esfuerzo y nuestra voluntad de cambio los motores que impulsen futuras generaciones hacia un mundo mejor.

Más allá del legado pirata
Ernesto Frers

Desde la lejana Antigüedad hasta las guerras del siglo XX, los piratas, corsarios y filibusteros protagonizaron feroces combates navales para apoderarse de prisioneros esclavos y fabulosos botines. Libres, audaces, temibles, su presencia sembró de terror las rutas marítimas, desde el Mar de la China hasta el Caribe, pasando por el Mediterráneo, el Atlántico, el Índico y el Pacífico.

Descubra la increíble epopeya de los bandoleros del mar, sus grandes capitanes, sus luchas, triunfos y fracasos; su influencia en la historia de los grandes imperios, su declive y su resurgimiento una y otra vez en distintas épocas y diversas latitudes. Este libro nos cuenta esa fantástica y apasionante aventura en una narración amena y rigurosamente documentada.

Los vampiros del crepúsculo
Konstantinos

Conozca qué hay de cierto sobre los vampiros, tras las exitosas novelas juveniles de Stephenie Meyer.

La realidad es mucho más compleja y extraña de lo que acostumbramos a pensar. Los vampiros realmente existen, no son una invención popular, sino que su leyenda responde a una verdad que se remonta a tiempos inmemoriales. Este libro explora la actualidad de los vampiros de hoy, sus hábitos y su estilo de vida, a través de un repaso de las entidades vampíricas del folclore y la cultura, así como de encuentros verdaderos con vampiros modernos, entre ellos los vampiros psíquicos, quienes absorben intencionadamente la energía vital de sus víctimas.

Más allá del Egipto faraónico
Violaine Vanoyeke

En Más allá del Egipto faraónico, la autora nos revela cuáles fueron las creencias y supersticiones del pueblo egipcio, de qué modo se organizaban sociopolíticamente, cómo viajaban, con qué comerciaban o cómo se divertían.

A través de esta obra podemos descubrir que muchas de las costumbres cotidianas del hombre de hoy ya se practicaban en el Antiguo Egipto.

Los egipcios cuidaban el aspecto físico y se perfumaban varias veces al día, incluso ya utilizaban maquillaje y pelucas que variaban según la moda que impulsaban sus gobernantes.
Se depilaban, igual que nosotros, trabajaban la tierra casi igual que se hace hoy —aunque, lógicamente, la tecnología sea distinta—, tenían leyes sobre el divorcio igual que las tenemos en la actualidad y tenían juegos parecidos a los nuestros.

Más allá de Las Catedrales
René Chandelle

En *Más allá de las catedrales*, René Chandelle introduce un novedoso enfoque en el género, al relacionar las dos novelas medievales de Ken Follett con el mundo y la época en que transcurren, los sucesos históricos y la vida cotidiana de la Edad Media. Por medio de este libro el autor desvela los secretos vínculos entre pasado y presente, imprescindibles para explicar el mundo actual y su evolución.

Adéntrese de nuevo en el fascinante universo medieval y descubra todos los misterios ocultos más allá de las catedrales góticas. Desde la estructura del régimen feudal hasta la función de las sociedades secretas, pasando por la vida cotidiana en la Edad Media, la brujería y el demonismo, el poder de los obispos y monasterios, o las plagas medievales del hambre y la peste...